L'asthme chez l'enfant

Pour une prise en charge efficace

La Collection du CHU Sainte-Justine
pour les parents

L'asthme chez l'enfant

Pour une prise en charge efficace

Sous la direction de

Denis Bérubé
Sylvie Laporte
Robert L. Thivierge

avec la collaboration de

Barbara Cummins McMannus
Suzanne Durocher
Jacqueline Flibotte
Geneviève Fortin
Annie Lavoie
Julie Robert
Diane Vadeboncœur

Éditions du CHU Sainte-Justine
Centre hospitalier universitaire mère-enfant

Catalogage avant publication de Bibliothèque et Archives Canada

Vedette principale au titre:

L'asthme chez l'enfant: pour une prise en charge efficace

(La collection du CHU Sainte-Justine pour les parents)
Comprend des réf. bibliogr.

ISBN 2-89619-057-0

1. Asthme chez l'enfant. 2. Enfants asthmatiques - Soins à domicile. 3. Asthme chez l'enfant - Traitement. I. Sylvie Laporte. II. Bérubé, Denis. III. Thivierge, Robert L. IV. Collection: Collection de L'Hôpital Sainte-Justine pour les parents.

RJ436.A8A87 2006 618.92'238 C2006-940489-5

Illustration de la couverture: Geneviève Côté

Infographie: Nicole Tétreault

Diffusion-Distribution au Québec: Prologue inc.
en France: CEDIF (diffusion) – Casteilla (distribution)
en Belgique et au Luxembourg: S.A. Vander
en Suisse: Servidis S.A.

Éditions du CHU Sainte-Justine
3175, chemin de la Côte-Sainte-Catherine
Montréal (Québec) H3T 1C5
Téléphone: (514) 345-4671
Télécopieur: (514) 345-4631
www.chu-sainte-justine.org/editions

ISBN (10): 2-89619-057-0
ISBN (13): 978-289619-057-7

Dépôt légal: Bibliothèque et Archives nationales du Québec, 2006
Bibliothèque et Archives Canada, 2006

Liste des auteurs

Denis Bérubé
pédiatre-pneumologue
Département
de pneumologie
CHU Sainte-Justine

Barbara Cummins McMannus
pédiatre
Département de pédiatrie
(pédiatrie générale – section Urgence)
CHU Sainte-Justine

Suzanne Durocher
infirmière bachelière
Département
de pneumologie
CHU Sainte-Justine

Jacqueline Flibotte
infirmière bachelière
Centre d'enseignement
de l'asthme
CHU Sainte-Justine

Geneviève Fortin
pharmacienne
CHU Sainte-Justine

Sylvie Laporte
inhalothérapeute
et éducatrice certifiée
en asthme
Centre d'enseignement
de l'asthme
CHU Sainte-Justine

Annie Lavoie
pharmacienne
CHU Sainte-Justine

Julie Robert
inhalothérapeute
CHU Sainte-Justine

Robert L. Thivierge
pédiatre
Département de pédiatrie
CHU Sainte-Justine

Diane Vadeboncœur
psychologue
CHU Sainte-Justine

Table des matières

Introduction

Nous sommes heureux d'offrir ce guide aux parents et aux enfants asthmatiques afin de les aider à mieux comprendre cette condition très fréquente, à mieux la prévenir et à prendre en charge le traitement.

Cet ouvrage est le fruit du travail d'une équipe de professionnels de la santé qui exerce au CHU Sainte-Justine dans le domaine du traitement de l'asthme depuis plus de 25 ans et qui côtoie quotidiennement des enfants et des adolescents asthmatiques ainsi que leurs familles.

C'est dans cette longue et riche expérience ainsi que dans nos travaux de recherche sur les enfants asthmatiques que nous avons puisé pour rédiger ce guide à l'usage des enfants asthmatiques et de leur famille.

Nous entretenons de grands espoirs : la capacité de bien soigner à la maison est devenue efficace et réelle comme en témoigne la diminution des visites et des hospitalisations observée au cours des dernières années et ce, à l'échelle nord-américaine. Le présent guide s'inscrit dans la gamme des outils indispensables pour aider à bien maîtriser l'asthme chez l'enfant et chez l'adolescent.

Pour bien prendre en charge l'asthme, vous devez :

- comprendre cette affection ;
- identifier dans l'environnement les facteurs déclenchants ;
- reconnaître les symptômes propres à votre enfant ;

- appliquer le plan d'action qui aura été discuté et prescrit par le médecin de famille ou le pédiatre de votre enfant;
- utiliser adéquatement la médication avec le dispositif d'administration adéquat.

Les pages qui suivent vous aideront certainement à réussir chacune de ces étapes.

Nous désirons souligner la collaboration des personnes suivantes qui ont contribué à la révision du livre:

Dr Anne-Claude Bernard-Bonnin, pédiatre au Département de pédiatrie du CHU Sainte-Justine;

Peggy Gagnon, mère d'un adolescent asthmatique;

Geneviève Harbec, conseillère clinicienne au Programme de pédiatrie du CHU Sainte-Justine;

Nicole Laberge, assistante-chef en inhalothérapie au CHU Sainte-Justine;

Benoit Lavallée, père de deux enfants asthmatiques;

Chantal Perpête, conseillère clinicienne, responsable du Programme de soutien à la cessation tabagique;

Dr Jacques Simard, pédiatre à la Cité de la Santé de Laval.

Les directeurs de la publication

Denis Berubé
Sylvie Laporte
Robert L. Thivierge

TÉMOIGNAGNE D'UNE MÈRE

Voici le témoignage de la mère de Marc qui est asthmatique depuis l'âge de 20 mois. Il a 15 ans aujourd'hui.

Comment j'ai vécu l'asthme de mon fils ?

Le malaise de Marc, 20 mois, mon quatrième enfant, commence par un simple rhume. Ensuite, j'observe un curieux ballottement au niveau du ventre. Il ne pleure pas, ne fait pas de fièvre et n'a pas mal. Il est à peine maussade.

Même si je ne suis pas une mère qui fréquente les urgences dès qu'un enfant ne se sent pas bien, je me rends quand même à l'Hôpital Sainte-Justine.

Le diagnostic tombe : pneumonie.

Après plusieurs jours de traitement, Marc a toujours de la difficulté à respirer. Cette fois, c'est son pédiatre qui l'ausculte et qui détecte l'asthme. Retour à l'Urgence. On lui donne une pompe. Trois fois.

De retour à la maison, la même chose se produit. J'appelle l'Urgence et leur reproche de ne pas bien traiter mon fils. Je me sens si désemparée devant cette maladie que je ne connais pas, que je ne comprends pas.

« On ne peut pas guérir l'asthme, madame. » Voilà exactement ce qu'il ne faut pas me dire ! Au fond de moi, c'est l'effondrement, la fin du monde. Je vois Marc respirer difficilement et je l'assiste, bien qu'impuissante. Mon pédiatre me renvoie à l'Urgence. J'ai besoin qu'on m'explique, qu'on m'apprenne à soigner mon fils. Je vois le même urgentologue, je le retiens fermement et exige des explications en bonne et due forme. Là, et à ce moment seulement, il répond à toutes mes questions.

À partir de ce moment, mon mari, discret jusqu'à présent, s'y met lui aussi. Lui, c'est la documentation ; moi, la recherche, les témoignages et des questions, beaucoup de questions. Avec l'aide des inhalothérapeutes et d'une prescription du pédiatre, nous arrivons à soigner Marc.

Mon mari observe le rythme de sa respiration, moi, je ne quitte pas son ventre des yeux. Les ballottements sont l'indice à surveiller.

À deux reprises, Marc est hospitalisé. Et les deux fois, nous avons eu du flair. Marc souffre d'un type d'asthme qu'on appelle « sournois ». Les symptômes s'installent rapidement. Il faut prendre cela très au sérieux.

La deuxième fois, il est resté deux jours à l'hôpital.

Pendant ces séjours, je dors assise sur une chaise pour être à son chevet. Bien entendu, je pose encore et toujours beaucoup de questions. Je suis hantée par l'asthme, cet inconnu.

Enfin, quand il va mieux, nous prenons congé de l'hôpital. Quand la pédiatre de garde demande qu'il reste une journée de plus « au cas où », je lui sors tout mon arsenal : *Ventolin®*, cortisone, masque, etc. Mes connaissances me servent. Je suis convaincante et elle accepte alors de lui donner son congé. Il faut dire que Marc partage la chambre avec d'autres enfants qui ont, tenez-vous bien, la coqueluche, la gastro-entérite, etc.

Marc n'a jamais interrompu ses activités sportives. Il a fait beaucoup de natation au début, ensuite du hockey, du baseball, du golf et de la course à pied (même s'il manque un peu de souffle pour ce sport).

À partir de l'âge de 7 ou 8 ans, les crises se sont espacées et ont fini par disparaître. Mais je veille toujours…

Soigner son enfant n'est pas une mince tâche, mais apprendre à le faire est naturel et très efficace.

Magda Imbleau

CHAPITRE 1

QU'EST-CE QUE L'ASTHME ET COMMENT LE DIAGNOSTIQUER ?

▼

PAR DENIS BÉRUBÉ

Une maladie très fréquente

L'asthme est une maladie très fréquente. Différentes statistiques québécoises et canadiennes nous montrent qu'elle atteint, à des degrés divers, de 10 à 15 % des enfants. En France, plus de 3,5 millions de personnes en sont atteintes, dont le tiers sont des enfants. La majorité de ces enfants sont atteints de façon légère et la maladie n'a pas de conséquence dramatique pour eux. Pour certains, cependant, la maladie est plus grave et entraîne des consultations à l'Urgence ou des hospitalisations. L'asthme chez l'enfant demeure la maladie chronique qui provoque le plus grand nombre de consultations médicales et qui est la plus importante source d'absentéisme à l'école.

Les plus récentes statistiques québécoises nous montrent que la majorité des patients qui consultent à l'Urgence ou qui sont hospitalisés en raison de leur condition asthmatique sont des enfants. Ainsi, au Québec, il y a plus de 50 000 enfants qui se rendent à l'Urgence pour de l'asthme à chaque année. À celle du CHU Sainte-Justine, plus de 5 000 visites et près de

600 hospitalisations par année sont dues à l'asthme. La majorité des hospitalisations se retrouve chez les enfants d'âge préscolaire (moins de 5 ans). De plus, trop souvent encore, les crises sont si graves qu'elles nécessitent une hospitalisation à l'unité des soins intensifs en raison d'une insuffisance respiratoire aiguë. Bien que nos connaissances sur la maladie aient grandement évolué au cours des dernières années, il arrive encore aujourd'hui un certain nombre de cas de mortalité reliés à l'asthme, particulièrement chez l'adolescent. L'arsenal thérapeutique pour lutter contre cette maladie n'a pourtant jamais été aussi étendu. Il se heurte toutefois à plusieurs préjugés qui compromettent son utilisation rationnelle et régulière.

Est-ce que mon enfant fait de l'asthme parce qu'il a les poumons faibles ?

En fait, votre enfant souffre d'asthme. Cette maladie n'est pas une faiblesse, mais une conséquence de l'inflammation des bronches. Contrairement à une faiblesse, elle peut se résorber et disparaître.

Physiopathologie et anatomie

L'asthme est une maladie qui affecte le système respiratoire. Cette condition se caractérise par l'obstruction des bronches en ce sens que l'enfant a de la difficulté à évacuer l'air de ses poumons. On peut imaginer les poumons d'une personne asthmatique en crise comme étant un ballon que l'on a trop gonflé et dont on empêche l'air de s'échapper en obstruant la sortie. Malgré de grands efforts, on imagine facilement la difficulté d'ajouter de l'air dans un tel ballon. En fait, les poumons fonctionnent comme de grands sacs élastiques. Quand on en obstrue la sortie (comme cela arrive dans le cas de l'asthme), ils deviennent de plus en plus difficiles à gonfler. D'où cette impression pour la personne asthmatique de ne plus arriver à respirer, l'air étant emprisonné dans les poumons en raison de l'obstruction causée par l'asthme.

On croit que la source de l'asthme est liée à la présence d'une inflammation anormale de la paroi bronchique. Cette inflammation modifie la structure des bronches et déclenche une réaction exagérée à divers stimuli de l'environnement. Cette réaction exagérée est appelée « hyperréactivité bronchique ». En fait, ce qui distingue les gens asthmatiques des gens normaux, c'est cette faculté de réagir de façon exagérée et inappropriée à l'environnement. Cette réaction entraîne l'obstruction des bronches. L'obstruction provient de divers phénomènes tels que la contraction des muscles lisses autour des bronches (bronchospasme), l'inflammation de la paroi bronchique et l'accumulation de sécrétions dans la lumière bronchique.

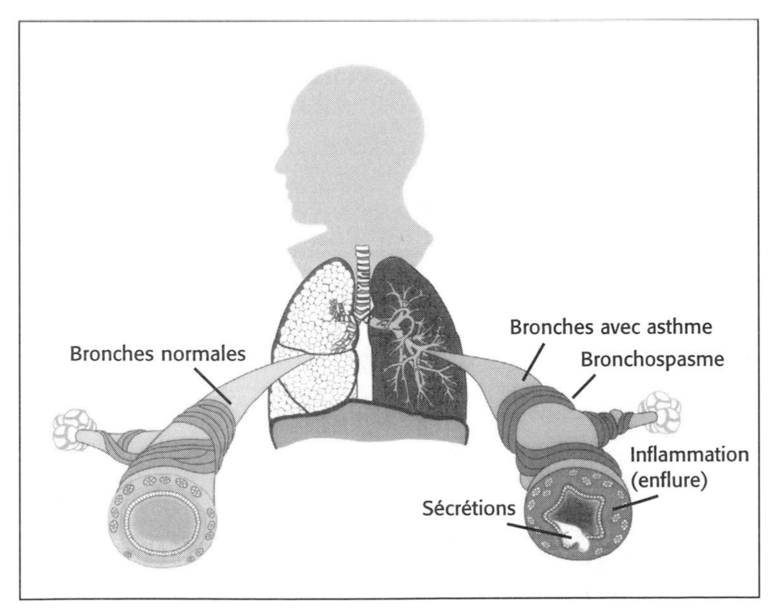

Bronches normales et bronches affectées par l'asthme.

Les bronches, c'est quoi ?

Les bronches, ce sont les tuyaux qui acheminent l'air vers nos poumons et nous permettent de respirer.

Par définition, l'obstruction des bronches (ou obstruction aérienne) présente dans la maladie asthmatique doit être réversible et répétitive. Ainsi, pour la très grande majorité des personnes asthmatiques, il est possible d'éliminer complètement l'obstruction et de retrouver une situation normale. De même, pour être qualifié d'asthmatique, un enfant devra avoir fait face à plus d'un épisode d'obstruction aérienne. Certains enfants entreront en période de « rémission » et ne présenteront plus de symptômes parfois pendant plusieurs années. Toutefois, des analyses de laboratoire effectuées durant ces périodes de rémission montrent souvent que l'hyperréactivité bronchique n'est pas résolue et qu'elle n'attend qu'une stimulation réunissant les conditions adéquates dans l'environnement pour déclencher de nouveau les symptômes.

Mon enfant souffrira-t-il d'asthme toute sa vie ?

La majorité des enfants qui souffrent d'asthme avant 5 ans, et cela suite aux rhumes, verront leurs symptômes disparaître avant l'âge scolaire. Toutefois, le fait d'être sujet à des allergies réduit les chances de guérison. Par ailleurs, pour la majorité des enfants sujets à l'asthme après 5 ans, la maladie se poursuivra sur une longue période.

Le diagnostic de l'asthme

Le diagnostic de l'asthme est d'abord et avant tout un diagnostic clinique. Pour diagnostiquer l'asthme, la majorité des indices peuvent être identifiés en interrogeant l'enfant et sa famille. La présence d'antécédents familiaux en matière d'allergie ou d'asthme est significative, car il s'agit d'une maladie dont certaines des composantes sont héréditaires. En effet, nous héritons de certains gènes de nos parents. Parmi ces gènes, quelques-uns nous prédisposent à l'hyperréactivité bronchique et au développement d'allergies, ainsi qu'à leurs manifestations. Par exemple, le risque de développer des allergies varie selon l'histoire familiale: si le père est allergique, le risque pour l'enfant d'être sujet à des allergies est de 30 %. Si c'est la mère qui souffre d'allergies, le risque est plus important et s'élève de 30 à 40 %. Si les deux parents sont allergiques, le risque se situe à 70 %.

Les manifestations allergiques peuvent s'exprimer par l'asthme mais aussi d'une autre façon dans le système respiratoire (rhinite allergique ou fièvre des foins) ou dans d'autres parties du corps comme la peau (urticaire ou eczéma). Après la naissance, c'est l'environnement dans lequel l'enfant évolue (maison, école, travail, milieu rural ou urbain, etc.) qui favorise ou empêche l'expression de ces tendances héréditaires.

Habituellement, les enfants souffrant d'asthme présentent une difficulté respiratoire accompagnée d'une respiration sifflante et de toux. Ces manifestations peuvent cependant être présentes de façon persistante ou intermittente. De plus, elles ne sont pas toujours présentes au même moment et peuvent varier dans le temps. Les symptômes de l'asthme peuvent varier au cours de la journée, mais sont souvent plus importants la nuit ou au moment de l'exercice physique. La manifestation la plus fréquente, cependant, demeure la toux. Pour plusieurs enfants asthmatiques, c'est l'unique manifestation.

Mon enfant peut-il faire de l'asthme même s'il ne fait que tousser, n'a jamais fait de « crises » et ne siffle jamais ?

Certains enfants asthmatiques ne sifflent pas et n'ont jamais de détresse respiratoire. La toux prolongée ou présente dans certaines circonstances seulement peut représenter l'unique manifestation d'une condition asthmatique.

Comment savoir si la toux est provoquée par le rhume ou par l'asthme?

Voilà une question difficile, car le rhume peut provoquer de la toux même chez l'enfant en santé. La toux est en fait une manifestation de l'irritation des voies respiratoires et peut provenir aussi bien du nez, de la gorge, que des poumons ou des oreilles! Tout ce qui tousse n'est pas de l'asthme. Chez l'enfant asthmatique, lorsque la toux est associée à des difficultés respiratoires ou à du sifflement, elle est sûrement causée par l'asthme plutôt que par un rhume. La toux nocturne ou qui se manifeste au moment de l'exercice peut aussi être d'origine asthmatique.

Poser un diagnostic d'asthme est particulièrement difficile chez le jeune enfant. En règle générale, et hors des centres spécialisés, il n'existe pas de tests qui permettent de confirmer un diagnostic d'asthme chez l'enfant de moins de 5 ans. De plus, certaines maladies peuvent ressembler à l'asthme du jeune enfant. En effet, chez le tout-petit (0 à 24 mois), on retrouve une maladie appelée « bronchiolite » qui est le plus souvent reliée à une infection virale des voies respiratoires. Comme l'asthme, elle peut entraîner des difficultés respiratoires accompagnées d'une respiration sifflante et de toux. Certains enfants ne seront affectés que par un seul épisode de bronchiolite et ne seront plus jamais incommodés par une obstruction aérienne. Toutefois, plusieurs enfants souffrant de bronchiolite en bas âge continueront à être affectés par l'asthme à plus long terme. On peut donc penser que la « bronchiolite » initiale n'était en fait que la première manifestation de l'asthme.

De plus, la majorité des « crises d'asthme » du jeune enfant sont précipitées par des infections virales. Il est donc souvent difficile de voir où s'arrête la bronchiolite et où commence l'asthme. Avant d'envisager un diagnostic d'asthme, il convient de déterminer s'il s'agit d'une répétition des symptômes. Si l'enfant de moins de 24 mois a présenté plusieurs épisodes d'obstruction aérienne, on peut être amené à le qualifier d'asthmatique. Par ailleurs, il est difficile de soutenir un diagnostic de bronchiolite chez un enfant de plus de 2 ans.

Devant ces difficultés et afin de nous aider à poser un diagnostic d'asthme chez le jeune enfant, le *Consensus canadien sur l'asthme pédiatrique*[1] a donc établi divers critères (voir le tableau 1). Plus le nombre de ces critères est élevé, plus l'enfant chez qui ils sont présents risque de souffrir d'asthme. Si, isolément, aucun de ces éléments n'est clairement associé à l'asthme, leur accumulation tend à confirmer que le patient en est vraiment atteint.

Tableau 1

- Épisode grave de difficultés respiratoires avec respiration sifflante.
- Respiration sifflante ou difficultés respiratoires après l'âge de 1 an.
- Trois épisodes ou plus de respiration sifflante.
- Toux chronique (pendant trois semaines et plus, surtout si elle est présente la nuit ou à l'effort).
- Amélioration des symptômes lors de l'utilisation d'une médication contre l'asthme.

1. CMAJ 2005 173 (6 Suppl.) : S2-S56.

Les signes et symptômes

En général, le médecin s'efforce de confirmer son impression clinique quant à la présence d'asthme en examinant l'enfant. Ainsi, lorsque l'enfant présente un gonflement exagéré de la poitrine (hyperinflation thoracique) associé à un rythme respiratoire accéléré, à une détresse respiratoire (tirage) et que l'auscultation met en évidence une obstruction aérienne (sibilances), l'impression clinique peut être confirmée. On doit toutefois garder à l'esprit que, entre les « crises aiguës d'asthme », l'enfant peut se porter parfaitement bien (sans symptômes) et ne présenter aucun signe de la maladie à l'examen physique. L'examen clinique est également utile, car il peut révéler certains éléments associés à des manifestations allergiques telles que l'eczéma, la rhinite ou la conjonctivite allergique.

Si certaines manifestations asthmatiques sont relativement courantes, le médecin tentera quand même de confirmer son impression diagnostique par des tests en laboratoire. En effet, l'examen clinique n'est malheureusement pas un outil sensible pour détecter l'obstruction aérienne. Chez l'enfant plus âgé (généralement vers l'âge de 5 ou 6 ans), on peut tenter de confirmer le diagnostic par des tests de fonction pulmonaire. Malheureusement, chez les enfants plus jeunes, de tels tests ne sont pas réalisables dans la majorité des centres. S'il est possible de documenter une obstruction aérienne et de confirmer que celle-ci est réversible par l'utilisation d'un bronchodilatateur (comme le *Ventolin*®), l'impression clinique peut donc être confirmée. Cependant, comme plusieurs asthmatiques n'éprouvent aucune obstruction aérienne entre les crises, on doit parfois recourir à des épreuves de provocation pour confirmer le diagnostic clinique. On essayera ainsi de démontrer la présence d'hyperréactivité bronchique soit par l'inhalation d'un médicament (métacholine) ou encore en les provocant par des moyens physiques (hyperventilation, exercice physique, inhalation d'air froid, etc.). Les enfants asthmatiques manifesteront une obstruction aérienne au moment de ces épreuves même s'ils ne sont pas en crise d'asthme, alors que les enfants en santé n'en seront pas affectés.

Les tests de fonction pulmonaire constituent aussi un outil précieux pour établir la gravité de la maladie. En effet, certains enfants asthmatiques manifestent peu de symptômes, même quand leurs bronches sont très obstruées. Il s'agit souvent d'un signe montrant que la maladie a longtemps été active et que l'obstruction des bronches est devenue la « normalité » pour eux. Ils se sentent donc « comme à l'habitude » et ne réalisent pas qu'ils pourraient se sentir mieux. D'autres sont très sensibles à la moindre variation de l'obstruction ou de l'inflammation bronchique et leurs symptômes apparaissent au moindre changement. De plus, l'examen physique et l'auscultation pulmonaire ne sont pas des mesures efficaces pour connaître l'état des bronches et on devrait autant que possible tenter de mesurer la condition respiratoire d'un enfant asthmatique par des tests de fonction pulmonaire.

On peut comparer cela au traitement de l'hypertension artérielle : on imaginerait mal le traitement de cette maladie sans jamais mesurer la pression artérielle ! Il en est donc de même pour le traitement et le suivi de l'asthme : il faut quantifier l'obstruction au moyen de mesures objectives. La gravité de l'asthme peut donc être estimée selon l'importance de l'obstruction aérienne dans le cadre de tests de fonction pulmonaire, mais aussi par les manifestations cliniques (symptômes, besoin d'hospitalisation, intensité des « crises », etc.) et par l'importance de la médication nécessaire à la maîtrise de la maladie.

Les facteurs déclenchants

Lorsque le diagnostic est établi, le médecin tente d'identifier les facteurs déclenchants puisqu'il est certain que leur évitement pourrait empêcher le retour des symptômes. Les facteurs déclenchant l'asthme varient généralement d'un individu à l'autre. On identifie ainsi divers éléments pouvant provoquer, entretenir ou contribuer à l'inflammation bronchique: le fondement de l'asthme. Chez l'enfant de moins de 5 ans, le facteur déclenchant le plus fréquent est une infection virale (rhume, grippe, otite, etc.). Ainsi, une infection des voies respiratoires entraînera l'obstruction aérienne et le déclenchement des symptômes de l'asthme. Chez certains enfants, ces infections virales sont le seul facteur qui occasionne des manifestations asthmatiques. La majorité des enfants asthmatiques seront cependant affectés par certains irritants respiratoires non spécifiques tels que la fumée de combustion (foyer, poêle à bois, etc.) et le tabagisme passif (la fumée secondaire), de même que par l'exposition aux poussières et aux vapeurs fortes (peinture, solvant, décapant, etc.).

Mentionnons, par ailleurs, que beaucoup de personnes atteintes d'asthme souffrent également d'allergies. C'est le cas de la majorité des enfants d'âge scolaire (5 ans et plus). Avant l'âge scolaire, cependant, la situation s'inverse en ce sens que la majorité des enfants n'ont pas d'allergies. On estime, en règle générale, que la présence d'allergie et surtout une exposition persistante aux allergènes auxquels on est sensibilisé sont des facteurs majeurs contribuant à entretenir l'asthme à plus long terme.

Les critères de maîtrise de l'asthme

Les plus récents consensus sur les traitements ont retenu divers éléments permettant d'atteindre et de maintenir la maîtrise de la maladie. Plusieurs d'entre eux n'ont rien à voir avec la prise de médication. Ainsi, la maîtrise de l'asthme repose d'abord et avant tout sur l'éducation des personnes asthmatiques et de leur famille, car il est primordial qu'ils comprennent la raison des traitements. On doit également comprendre l'importance de l'évitement ou de l'élimination des facteurs déclenchants puisqu'il sera souvent nécessaire d'apporter des modifications à l'environnement. Certaines modifications sont difficiles et même pénibles, notamment l'arrêt du tabagisme à la maison ou l'obligation de se départir d'un animal. Dans le cas des allergies en particulier, l'évitement peut contribuer à la disparition des manifestations de la maladie.

En association avec l'évitement des facteurs précipitants, le contrôle de l'asthme nécessite une prise de médication souvent continue. Si le contrôle est inadéquat malgré une dose standard de médicament (voir le tableau 2 à la page suivante), on aura tendance à augmenter la thérapie alors qu'on la diminuera si le contrôle est satisfaisant. Le but principal du traitement de la maladie est d'en limiter les manifestations tout en permettant aux personnes qui en sont atteintes de vivre une vie normale et d'utiliser la médication la plus légère possible. Les médicaments actuellement offerts sur le marché sont sécuritaires et, administrés selon la dose recommandée, n'entraînent pas d'effets secondaires même s'ils sont administrés régulièrement pendant de longues périodes (plusieurs mois ou plusieurs années). On doit aussi tenir compte du fait que la maladie elle-même, lorsqu'elle est mal maîtrisée, entraîne plusieurs effets secondaires et a un réel impact sur la qualité de vie des enfants qui en souffrent et sur celle de leur famille.

TABLEAU 2

Facteurs indicatifs d'une maîtrise adéquate de l'asthme selon le *Consensus canadien de l'asthme.*

• Symptômes le jour	Rares Moins de 4 fois/ semaine
• Symptômes la nuit	Aucun
• Bronchodilatateur (pompe bleue)	Moins de 4 fois/ semaine
• Activités physiques	Normales
• Débits expiratoires de pointe et test de fonction pulmonaire	90 à 100 %

CHAPITRE 2

COMMENT AMÉLIORER L'ENVIRONNEMENT DE VOTRE ENFANT ASTHMATIQUE ?

▼

PAR SUZANNE DUROCHER ET JACQUELINE FLIBOTTE

Nous allons maintenant identifier les facteurs qui déclenchent les symptômes d'asthme ainsi que les différentes mesures à appliquer pour diminuer leur impact. Ces facteurs varient d'une personne à l'autre. Ainsi, dans certains cas, ils favorisent l'apparition des symptômes et, dans d'autres, ils aggravent les symptômes déjà présents. Les facteurs en cause sont des agents ou des substances qui créent de l'inflammation ou de l'irritation aux voies respiratoires. On pourrait répartir ces facteurs en trois classes : les facteurs inflammatoires, les facteurs irritants et les facteurs liés à la personnalité ou aux activités. Nous verrons également de quelle façon nous pouvons agir ou réagir en présence d'enfants ayant des symptômes ou en cas de crise d'asthme à l'école.

Lorsqu'il est question de facteurs inflammatoires, il s'agit des allergènes (les acariens, les animaux, les moisissures, les pollens ou les allergies alimentaires) et des infections respiratoires. Ces facteurs inflammatoires peuvent aggraver l'asthme pendant plusieurs semaines ou même plusieurs mois. Dans le cas des allergènes, seules les personnes qui y sont allergiques en sont affectées. Les infections respiratoires sont des déclencheurs fréquents chez les jeunes enfants. L'identification rapide de ces déclencheurs potentiels nous permet de mieux maîtriser les symptômes de l'asthme. Ainsi, pour découvrir quels sont les allergènes en cause, on peut effectuer des tests cutanés d'allergies à partir de 5 ans.

Par contre, les facteurs irritants peuvent toucher toutes les personnes souffrant d'asthme. Parmi les substances les plus irritantes, on retrouve la fumée de cigarette, la pollution atmosphérique (smog) et les odeurs fortes (peinture, solvants, parfum, etc.). Il est donc recommandé que la personne asthmatique évite le plus possible d'être en contact avec ces substances.

Les facteurs liés à la personnalité sont principalement les émotions (peine, colère, etc.) ; d'autres concernent des activités comme, par exemple, l'exercice physique ou les sports qui exigent plus de souffle.

L'identification des déclencheurs de crises d'asthme nous aidera à réagir, en appliquant les différentes recommandations ou précautions à prendre pour intervenir rapidement. Ceci nous permettra de diminuer le risque d'aggravation des symptômes de l'asthme et d'avoir ainsi une meilleure maîtrise de la maladie.

La section sur les allergènes comprend une énumération des éléments déclencheurs potentiels que l'on retrouve dans l'environnement, tant à l'intérieur qu'à l'extérieur des maisons. Ceux-ci seront répartis en trois sections :

- l'information ;
- les recommandations de base ;
- les autres recommandations (pour les personnes allergiques).

L'information fournira des données générales sur l'allergène en question. *Les recommandations de base* énuméreront en détail les mesures préventives qu'on peut appliquer pour éviter le plus possible d'entrer en contact avec l'allergène. *Les autres recommandations* sont les mesures supplémentaires qui doivent être employées pour freiner l'exposition aux allergènes auxquels l'enfant est déjà sensible.

Dans les sections qui traiteront des facteurs irritants ainsi que des facteurs liés à la personnalité ou aux activités, vous retrouverez de l'information générale, des conseils et des mesures préventives. Cela vous permettra soit d'éviter ou de diminuer les contacts, soit de restreindre l'impact de ces facteurs chez votre enfant.

Les allergènes

Les allergies sont une réaction exagérée du système immunitaire à différents allergènes. Celui-ci réagit en considérant que les allergènes (acariens, animaux, moisissures, pollens, etc.) sont une menace pour la santé. La réaction allergique peut se manifester de différentes façons: sous forme de rhinite allergique (congestion et écoulement nasal), de conjonctivite (irritation, larmoiement et picotement des yeux), de manifestations cutanées (rougeurs et démangeaisons) et de symptômes respiratoires (toux, asthme). Le *Consensus canadien sur l'asthme* recommande d'identifier les allergènes et d'apporter les correctifs nécessaires avant d'augmenter la médication. C'est la base du traitement de l'asthme et des allergies. La désensibilisation devrait être limitée aux allergènes ne pouvant être évités. Actuellement, la désensibilisation est une pratique controversée chez les personnes asthmatiques et allergiques. Si les symptômes d'allergies sont trop présents et qu'il est impossible d'éviter l'allergène, un traitement médicamenteux peut être administré. Pour plus d'information concernant les médicaments contre les allergies, consultez votre médecin ou votre pharmacien.

L'enfant asthmatique dont les parents souffrent d'allergies est plus à risque d'être éventuellement affecté. Il serait préférable de suivre un maximum de recommandations contre les allergies.

Lorsque l'enfant est déjà affecté par une allergie environnementale, il est susceptible d'en développer d'autres. Il est préférable d'adopter une approche préventive le plus tôt possible afin de retarder le déclenchement de nouvelles allergies. Méfiez-vous aussi des « cumulatifs » en matière de facteurs déclenchants. L'asthme sera plus difficile à maîtriser si, en plus d'être allergique aux acariens par exemple, l'enfant a un rhume et est en contact avec une personne qui fume sans arrêt dans un lieu poussiéreux.

Les facteurs inflammatoires à l'intérieur de la maison

Les acariens

Renseignements

Les acariens sont parmi les principaux déclencheurs allergiques de l'asthme. Ils font partie de la famille des araignées. Il s'agit d'organismes minuscules et invisibles à l'œil nu. Il en existe des milliers de variétés mais, dans la poussière de nos maisons, on en trouve principalement deux sortes. L'allergie est causée plus précisément par les matières fécales des acariens. Celles-ci sont très légères et volatiles et pénètrent donc facilement dans les voies respiratoires. Les principales réactions sont respiratoires (rhinite, asthme). Cette allergie est présente durant toute l'année, mais elle atteint son intensité maximale à l'automne. Rassurez-vous, s'il y a des acariens chez vous ce n'est pas en raison d'un manque de propreté. En effet, les acariens se logent dans la poussière et dans les matériaux de rembourrage (divans, matelas, etc.) et se nourrissent de débris (peaux mortes, ongles, poils d'animaux, poussières, etc.). Ils préfèrent une humidité supérieure à 50 % et une température supérieure à 20° C. Si l'air est moins humide et frais, les acariens ont de la difficulté à se reproduire, mais ils se réactivent dès que le milieu devient plus propice (hausse de l'humidité et de la chaleur). Les acariens sont résistants à l'eau froide, à l'eau tiède et même à l'eau de javel. Il existe des acaricides (produits pour tuer les acariens), mais ceux-ci ne sont pas toujours efficaces en plus de présenter un haut risque d'irritation des bronches. Ils ne sont donc pas recommandés.

La chambre de l'enfant doit demeurer très propre, car celui-ci y passe environ de 30 à 50 % de son temps. En faisant adéquatement l'entretien de la chambre de l'enfant, vous empêcherez la multiplication des acariens dans la maison. Pour les autres pièces, il suffit de bien entretenir la maison. Si votre enfant a l'habitude de dormir pendant quelques heures dans votre chambre, il faudra peut-être aménager les deux chambres en conséquence... Si vous achetez une housse ou une enveloppe pour le matelas, vérifiez l'étiquette afin de vous assurer qu'il s'agit bien d'une housse anti-acariens et non hypoallergénique. De plus, cette housse doit être munie d'une fermeture à glissière. Il existe également des housses anti-acariens pour les oreillers et les couettes.

La poussière à l'intérieur des maisons contient de nombreuses petites particules : tissus, papier, pollens, poils, squames d'humains et d'animaux, moisissures, débris d'insectes morts et d'aliments. Les tests cutanés d'allergies servent à vérifier si une personne est allergique à la poussière de la maison.

Recommandations de base

- Lavez la literie, incluant les couvertures, à l'eau chaude (60° C). Choisir des tissus qui tolèrent l'eau chaude (le coton, le polyester, etc.).

- Vérifiez le taux d'humidité (moins de 50 % - voir la section sur les moisissures intérieures en page 36). Idéalement, la chambre de l'enfant ne devrait pas être située au sous-sol ; si c'est malgré tout le cas, il faut maintenir un taux d'humidité adéquat.
- Gardez la chambre à une température de 18° C. Utilisez une couverture de plus, si nécessaire.
- Limitez à un ou deux le nombre de toutous, qu'ils soient en tissus ou en peluche. Lavez-les régulièrement à l'eau chaude en même temps que la literie.
- Utilisez un linge humide plutôt qu'un plumeau pour l'époussetage hebdomadaire. Ce sera plus efficace et soulèvera moins la poussière.
- Assurez un entretien ménager régulier (passez l'aspirateur et faites l'époussetage) chaque semaine.
- Évitez les tapis et tout objet poussiéreux (bibelots, vieux journaux, etc.).
- Utilisez une vadrouille humide plutôt que le balai sur les planchers.
- Gardez les garde-robes fermées.
- Il est préférable d'avoir une toile ou un store vertical plutôt qu'un rideau à la fenêtre. Si vous désirez un rideau, il doit être lavé fréquemment à l'eau chaude.
- Placez les livres de la chambre de votre enfant dans une bibliothèque munie de portes, dans les tiroirs d'un bureau, dans la garde-robe ou dans une autre pièce de la maison. Une étagère fermée convient mieux pour ranger les jouets.

Autres recommandations en présence d'une allergie aux acariens

- Placez une housse anti-acariens ou plastifiée sur chaque matelas et chaque oreiller dans la chambre et lavez la literie (incluant les couvertures) à l'eau chaude à chaque semaine.

- Passez l'aspirateur une fois semaine au minimum (si possible, celui-ci devrait avoir un filtre HEPA). Évitez de le passer en présence de l'enfant, surtout si vous disposez d'un aspirateur portatif. Si vous avez un aspirateur central, assurez-vous que l'air soit acheminé à l'extérieur.
- Faites en sorte que les vêtements soient toujours rangés dans les tiroirs ou dans la garde-robe et gardez ces endroits fermés.
- N'utilisez pas les matelas supplémentaires de type « coquille d'œuf ».

Les animaux

Renseignements

Les allergies aux animaux sont très répandues, surtout celle aux chats. Une personne peut être allergique à un ou à plusieurs animaux : chats, chiens, chevaux, lapins, hamsters, oiseaux, vaches, chèvres, blattes (coquerelles) etc. Les seuls animaux auxquels il est impossible d'être allergiques, ce sont les poissons et les reptiles.

Notre chien est hypoallergène, pouvons nous le garder ?

L'enfant asthmatique peut être sensible à la salive, à l'urine, à la sueur et à la desquamation de la peau de ces animaux. Toutes les races de chiens ou de chats sont donc susceptibles d'être allergènes. Que les poils de votre animal soient longs ou courts, ils demeurent malheureusement une source d'allergie.

Selon le type d'animal et suivant votre sensibilité, le délai pour développer l'allergie peut être très variable : de quelques semaines à plusieurs années. Cela explique pourquoi les symptômes d'allergie peuvent parfois apparaître plusieurs années après l'arrivée de l'animal. Il n'est donc pas recommandé de se débarrasser de l'animal auquel l'enfant est allergique pour le remplacer par un autre (par exemple: donner son chat et adopter un chien). Le risque d'être également allergique au nouvel animal s'accroît en raison du contact plus étroit avec celui-ci. De plus, si votre enfant n'a pas d'allergies et que vous avez un animal domestique à la maison, vérifiez auprès de votre médecin si votre enfant présente des risques de contracter des allergies. Si oui, il est préférable de décider, tous ensemble, que c'est le dernier animal de compagnie de la famille.

Si une allergie est diagnostiquée, il est fortement recommandé de se départir de l'animal le plus rapidement possible. En effet, il est fort possible que l'asthme de votre enfant soit plus difficile à maîtriser avec le temps. Un bref contact peut être suffisant pour déclencher une réaction allergique tandis qu'un contact prolongé entretiendra l'inflammation des bronches. À la suite du diagnostic d'allergie à l'animal, si vous réussissez à vous en départir, il faudra compter plusieurs semaines pour que votre enfant se sente mieux; en effet, des particules provenant de l'animal demeurent dans l'air pendant plusieurs mois après qu'il ait quitté la maison. N'oubliez pas que plusieurs facteurs peuvent influencer la tolérance à l'animal: contact plus ou moins étroit, présence d'autres allergènes dans l'environnement, présence de l'animal à l'intérieur ou à l'extérieur, etc. On peut procéder à une prévention médicamenteuse avant de rendre visite à une famille qui possède l'animal allergène. Parlez-en à votre médecin ou au pharmacien.

Si votre enfant n'est pas allergique à son animal préféré mais allergique aux pollens ou aux moisissures, sachez que l'animal transporte sur lui de nombreuses particules de pollens et de moisissures. À l'intérieur de la maison, votre enfant est constamment en contact avec ces allergènes. C'est une raison supplémentaire pour qu'il n'y ait pas d'animal à la maison.

Recommandations de base

- Si possible, gardez l'animal à l'extérieur de la maison.
- Limitez le nombre d'animaux à la maison.
- Interdisez la présence de l'animal dans la chambre de l'enfant.
- Nettoyez les litières régulièrement, brossez l'animal à l'extérieur et lavez-le à chaque semaine (il faut, bien sûr, que ce soit quelqu'un qui n'est pas allergique qui le fasse).
- Passez l'aspirateur une fois par semaine. Évitez d'avoir des tapis et des moquettes parce que les poils des animaux s'y accumulent.

Autres recommandations en présence d'une allergie aux animaux

- Donnez l'animal à un proche, ce qui peut être moins pénible, ou prenez le temps de trouver une bonne famille d'adoption.
- N'adoptez pas un autre animal lorsque l'état de santé de votre enfant s'améliore, que ce soit l'animal auquel votre enfant est allergique ou un animal d'un autre type, à l'exception des poissons et des reptiles.
- Si vous déménagez (ou louez une habitation pendant les vacances), informez-vous pour savoir si le locataire précédent avait un animal auquel l'enfant peut réagir. Si oui, faites un bon ménage et aérez avant l'arrivée de l'enfant.

Dans la vie quotidienne, il peut être difficile de ne jamais côtoyer les animaux auxquels votre enfant est allergique. On a le choix d'avoir ou non un animal chez soi; par contre, cela est beaucoup plus difficile si ce sont vos parents ou amis qui ont un animal.

Afin de diminuer les contacts rapprochés avec les animaux lors de vos sorties dans la famille élargie ou chez des amis, apprenez à votre enfant à ne pas flatter les animaux. Si l'enfant touche à l'animal, il doit se laver les mains. Informez-vous auprès des propriétaires de l'animal si celui-ci a l'habitude de se coucher sur les fauteuils rembourrés. Si oui, évitez que l'enfant ne s'assoie à la place préférée de l'animal. Si votre enfant doit coucher dans cette demeure, évitez que l'animal ne vienne le rejoindre durant la nuit; fermez la porte de la chambre, par exemple.

En bas âge, tous les parents savent où se trouve leur enfant. Mais quand l'enfant vieillit, il va chez des amis que vous connaissez moins et il se peut qu'il oublie de mentionner qu'il a été en contact avec un animal et, même, qu'il l'a flatté... Prenez le temps de faire des liens de cause à effet avec votre enfant : il a touché l'animal et, par la suite, il y a eu apparition des symptômes d'asthme, donc...

Les moisissures

Renseignements

Les moisissures sont des champignons microscopiques. Il en existe des milliers de variétés, toutes aussi différentes les unes que les autres. Chaque variété a ses préférences. On les retrouve soit à l'intérieur soit à l'extérieur. Les moisissures produisent des petites particules (spores) que nous respirons. Leur présence à l'intérieur de la maison est souvent plus néfaste que lorsqu'on les retrouve à l'extérieur, puisque le contact est plus important. Elles peuvent être de couleurs différentes, mais on les reconnaît facilement grâce aux taches noires au pourtour du bain ou des fenêtres, par exemple.

Un milieu humide et un manque de ventilation sont propices à la multiplication des moisissures. On retrouve les moisissures le plus souvent dans les pièces du sous-sol, les salles de bain et les cuisines. La terre des plantes est aussi un excellent milieu pour leur développement.

Recommandations de base

- N'utilisez pas d'humidificateur, surtout dans la chambre de l'enfant.
- Aérez quotidiennement afin de maintenir le taux d'humidité à moins de 50%. Mesurez-le à l'aide d'un hygromètre. Au besoin, utiliser un déshumidificateur.
- Réduisez l'humidité en modifiant vos habitudes de vie. Dans la salle de bain, faites fonctionner votre ventilateur durant et après la douche en laissant la porte fermée. Si vous n'avez pas de ventilateur, ouvrez la fenêtre quelques minutes lorsque l'enfant est habillé. Vous limiterez ainsi l'humidité de la salle de bain et éviterez qu'elle se répande dans la maison. Faites fonctionner la hotte de votre cuisinière ou ouvrez la fenêtre de la cuisine chaque fois que vos aliments mijotent.
- Si possible, installez une sortie d'air extérieure pour la hotte de la cuisinière ainsi qu'un évacuateur d'air dans la salle de bain.
- Aérez régulièrement les pièces de la maison.
- Entretenez régulièrement les humidificateurs qui sont déjà reliés à votre système de chauffage.
- Recherchez l'apparition de plaques ou de taches sur les murs, au pourtour du bain ou des fenêtres.
- Arrosez les plantes dans leur assiette. Diminuez le nombre de plantes.
- Assurez-vous que la sécheuse est munie d'une sortie extérieure.
- N'appliquez pas de peinture sur une surface ayant des moisissures.

Autres recommandations en présence d'une allergie aux moisissures

- En présence de moisissures sur la terre de vos plantes d'intérieur (formation de points blancs auparavant inexistants), changez-la. Si le problème persiste, jetez ou donnez les plantes concernées.
- Réparez sans délai une fuite d'eau ainsi que les dommages causés aux matériaux.
- Réduisez le nombre d'articles entreposés, surtout ceux qui gardent l'humidité (tapis, vieux meubles rembourrés, journaux, etc.). N'entreposez pas le bois de chauffage à l'intérieur.
- Faites réparer adéquatement et sans délai les surfaces atteintes de moisissures.
- Méfiez-vous des conduits de chauffage à air pulsé qui ne sont pas nettoyés régulièrement.
- Aérez votre résidence secondaire dès votre arrivée.
- Attention à l'équipement de camping (possibilité de moisissures sur le matériel).

Les infections respiratoires (rhumes, otites, etc.)

Renseignements

C'est par les mains que se fait le plus fréquemment la transmission des infections des voies respiratoires. Selon Statistique Canada, l'infection respiratoire est le plus important facteur déclenchant de l'asthme chez les enfants de 2 ans et plus.

Il arrive souvent que lorsque votre enfant s'enrhume, son asthme s'aggrave (les symptômes augmentent). Demandez à votre médecin ou à votre éducateur un plan d'action expliquant « ce qu'il faut faire » advenant une aggravation de son état de santé (voir le chapitre 4, page 93).

Recommandations de base

- Évitez autant que possible que votre enfant soit en contact avec d'autres enfants qui souffrent d'une infection respiratoire.
- Encouragez l'enfant:
  - à se laver les mains avec du savon avant chaque repas et après être allé à la toilette;
  - à placer son coude devant sa bouche quant il tousse (selon les nouvelles recommandations); sinon, à mettre sa main devant sa bouche puis à bien se laver les mains ;
  - à utiliser un mouchoir pour se moucher, puis à se laver les mains.
- Chaque enfant devrait avoir son dispositif d'espacement pour l'administration des pompes afin d'éviter tout partage des infections.
- Évitez que les enfants utilisent les mêmes «suces» ou autres objets qu'ils portent à leur bouche (par exemple: un verre).
- Si possible, faites vacciner votre enfant (vaccin contre la grippe).

Les vaccins

Quelques vaccins peuvent s'ajouter au calendrier vaccinal de votre enfant. Ils permettent une meilleure protection. Si votre enfant «attrape» des virus et des bactéries, son asthme deviendra plus difficile à maîtriser.

Il est recommandé de faire vacciner un enfant asthmatique contre la grippe (*Fluviral*® ou *Vaxigrip*®) à partir de l'âge de 6 mois. Le vaccin est habituellement administré à l'automne, entre octobre et décembre. Il protégera votre enfant de la grippe:

forte fièvre durant près d'une semaine, courbatures, perte d'appétit, fatigue, toux et écoulement nasal. Par contre, ce vaccin ne le protégera pas contre une infection beaucoup plus courante, le rhume : toux, écoulement nasal, peu ou pas de fièvre, de la fatigue et une diminution de l'appétit.

Il existe deux vaccins contre le pneumocoque (*Prevnar*® et *Pneumovax*®). Depuis décembre 2004, le *Prevnar*® figure au calendrier vaccinal québécois. Il peut être donné à partir de l'âge de 2 mois. Celui-ci protégera votre enfant contre les pneumonies (il existe des dizaines de pneumonies différentes, il sera donc protégé contre l'une d'entre elles), les infections graves du sang et les otites à répétition.

Le vaccin contre la varicelle (*Varivax*® ou *Varilrix*®) est recommandé pour les enfants à partir de l'âge de 1 an, s'ils n'ont pas déjà eu la varicelle, et plus spécifiquement dans le cas d'un enfant asthmatique. En effet, en cas de crise d'asthme et si l'enfant a récemment été en contact avec la varicelle sans l'avoir eu auparavant, le médecin hésitera à lui prescrire de la cortisone en comprimé ou en sirop. Il s'agit là d'une contre-indication au traitement en raison des risques élevés de complications.

Les allergies alimentaires

Renseignements

L'enfant asthmatique peut également avoir des allergies alimentaires qui peuvent provoquer une crise d'asthme. Depuis quelques années, le nombre d'allergies alimentaires a considérablement augmenté. La diversité des aliments en vente dans nos épiceries fait en sorte que nous varions notre menu et que cela se produit à un très jeune âge. De plus, les préparations vendues dans le commerce nous invitent à avaler plusieurs ingrédients à la fois. C'est ainsi que les risques d'avoir une allergie augmentent.

Les cas les plus courants chez les enfants sont les allergies au lait de vache, aux œufs, aux arachides, aux noix, au poisson et aux fruits de mer. Certaines allergies alimentaires peuvent entraîner des réactions très graves (choc anaphylactique), d'où l'importance de toujours avoir la médication requise à la portée de la main. De plus en plus, les écoles interdisent aux enfants d'apporter des aliments contenants des arachides afin de réduire les risques de réactions allergiques au cas où certains procéderaient à des échanges de nourriture.

Recommandations de base

- Si une réaction de la peau ou du système respiratoire (picotement ou enflure de la langue, la gorge, etc.) survient après l'ingestion d'un aliment, parlez-en à votre médecin. Il pourra, si nécessaire, vous prescrire différents tests pour vérifier s'il y a présence d'allergies. En attendant d'avoir la confirmation quant aux aliments responsables de l'allergie, il est préférable de ne pas les consommer.

Autres recommandations en présence d'une allergie alimentaire

- Suivez les conseils de l'équipe médicale relativement à l'alimentation de votre enfant.
- Identifiez, si possible, le ou les aliments auxquels votre enfant est allergique avec l'aide de l'équipe médicale.
- Organisez une rencontre avec une diététiste.
- Portez un bracelet d'allergie identifiant l'allergie en question.
- Évitez les aliments causant l'allergie.
- Apprenez à lire les étiquettes (consultez l'équipe médicale). De nombreuses appellations ont cours pour un même aliment. Prenez l'habitude de lire tous les ingrédients sur l'emballage des aliments que vous achetez afin de bien identifier ceux que votre enfant tolère moins bien.

- Prenez l'habitude de vous informer de la préparation des aliments lorsque vous mangez à l'extérieur.
- L'adulte responsable de l'enfant ou de l'adolescent allergique doit avoir en tout temps avec lui un antihistaminique et un *Épipen*® et en connaître la technique d'administration.

Les facteurs inflammatoires à l'extérieur de la maison

Le pollen

Renseignements

Au Québec, environ une personne sur dix est affectée par les allergies saisonnières. La rhinite allergique (ou rhume des foins) est causée par les plantes qui sont fertilisées par le vent. Les fleurs sont moins allergènes parce qu'elles sont habituellement fertilisées par les insectes. L'humidité et la pluie transportent les pollens vers le sol tandis que le vent maintient le pollen dans l'air. Malheureusement, il est impossible d'avoir une quelconque maîtrise du pollen dans l'air puisqu'il peut être transporté à plusieurs kilomètres de son lieu de départ. Il est donc impossible de l'éviter totalement.

Au printemps, lorsque les arbres sont en bourgeons, on peut être allergique à leur pollen. Parmi les principaux arbres allergènes, on trouve le bouleau, le peuplier, l'érable, l'orme, le chêne et l'aulne (voir l'annexe 1, en page 124).

L'allergie aux graminées (grande famille d'herbes incluant le blé, le maïs, l'avoine, l'herbe de la pelouse et des milliers d'autres) est très courante de mai à juillet.

L'ambroisie, mieux connue sous le nom d'herbe à poux, est parmi les allergies les plus courantes durant la période allant de juillet aux premières gelées de l'automne. Plusieurs municipalités recommandent d'arracher l'herbe à poux avant la période de floraison afin de diminuer la présence de pollen.

Selon la région où vous habitez, il peut y avoir plus ou moins d'herbe à poux (voir la carte de l'herbe à poux du Québec, à l'annexe 1, page 125).

Selon la température et l'environnement, les symptômes d'allergie de votre enfant varieront d'une année à l'autre. En général, un printemps humide et très froid apportera une saison de pollens courte et des niveaux de pollen peu élevés. Vérifiez régulièrement les indices du pollen de votre région (météo pollen) afin d'établir un lien entre vos symptômes et le taux de pollen dans l'air. Ce taux est indiqué régulièrement sur les chaînes de télévision spécialisées et il figure dans les journaux durant les périodes à risque.

Recommandations de base

- Évitez de faire sécher les vêtements à l'extérieur.
- À l'extérieur, évitez que l'enfant s'assoie directement dans l'herbe surtout si elle est fraîchement coupée.
- Arrachez l'herbe à poux avant sa floraison.

Autres recommandations en présence d'une allergie aux pollens

- Si possible, fermez la fenêtre de la chambre de l'enfant durant la journée.
- Pendant la saison du pollen ou de l'herbe à poux, offrez à l'enfant des activités à l'intérieur afin d'éviter de l'exposer davantage.
- Si vous disposez d'un climatiseur, utilisez-le dans la maison et dans la voiture.
- Demandez à l'enfant de ne pas jouer dans l'herbe fraîchement coupée et dans les feuilles mortes, surtout par temps sec et venteux.
- Ne laissez pas une personne allergique faire l'entretien extérieur (tondre la pelouse, arracher les mauvaises herbes, etc.).

- Après une journée au grand air, faites prendre une douche ou un bain à l'enfant et lavez-lui les cheveux lorsqu'il entre à l'intérieur.

Les moisissures

Renseignements

À l'automne, les feuilles mortes, les troncs d'arbres en décomposition et le foin offrent un milieu idéal à la croissance des moisissures.

En plus des pollens, le vent apporte des particules de moisissures. Attention aux moisissures extérieures, car elles se retrouvent facilement à l'intérieur lorsqu'elles sont transportées par le vent.

Recommandations de base

- Ramassez les feuilles mortes autour de la maison avant que celles-ci ne deviennent trop mouillées.

Autres recommandations en présence d'une allergie aux moisissures extérieures

- Ne laissez pas l'enfant jouer dans les feuilles mortes.
- Évitez de laisser l'enfant manipuler les plantes, car elles contiennent des particules de moisissures et du pollen.
- Évitez de disposer des fleurs cueillies à l'extérieur dans la maison.

Les facteurs irritants provenant de l'intérieur de la maison

Le tabagisme

Pédiatres, pneumologues, médecins généralistes, inhalothérapeutes, infirmières et experts sont unanimes : l'exposition à la fumée de tabac et la consommation de tabac induisent et aggravent les affections respiratoires et l'asthme[1,2]

Le tabagisme : un problème de santé publique

Selon Santé Canada, le tabagisme est le principal facteur de risque de décès prématuré et de maladies respiratoires qu'on puisse éviter : un fumeur sur deux meurt des suites d'une maladie reliée au tabac, perdant ainsi 8 à 22 années d'espérance de vie. Les effets néfastes du tabac sur la santé des fumeurs ne feront pas l'objet de ce chapitre. Nous mettrons en évidence les liens entre tabagisme et asthme.

Il y a environ 21,6 % des Canadiens âgés de 15 ans et plus qui fument, soit plus de 6 millions de personnes.

Au Québec, 25,9 % des personnes âgées de 15 ans et plus fument, dont 27 % de Québécois et 25 % de Québécoises. En général, on peut observer une diminution du nombre des fumeurs tant au Canada qu'au Québec : entre 1999 et 2004, le taux de tabagisme pour les personnes âgées de 15 ans et plus est passé de 28,8 % des Canadiens (34,4 % pour les Québécois) à 21,6 % des Canadiens (25,9 % pour les Québécois)[3]. Cette habitude est un peu plus répandue chez les hommes que chez les femmes, bien que les jeunes filles soient plus nombreuses à commencer à fumer avant l'âge de 13 ans.

---

1. SOCIÉTÉ CANADIENNE PÉDIATRIQUE. « Le rôle du médecin dans la prévention du tabagisme ». *Paediatrics and Child Health* 2000 6 (2) : 103-109.

2. « Les troubles de la fonction respiratoire », In J. BALL et R. BINDLER (Eds). *Soins infirmiers en pédiatrie*. Saint-Laurent, ERPI, 2003. Chap 12. : 462-463, 472-474, 505.

3. SANTÉ CANADA. Site web : www.vivezsansfumee.ca/esutc

Le problème du tabagisme précoce provient de ce que les jeunes sont peu réceptifs aux campagnes de sensibilisation sur les méfaits du tabac: ils grandissent dans une société où le tabagisme est considéré comme un comportement normal et permis aux adultes.

Les enfants comprennent à un très jeune âge que fumer est une activité relaxante, réservée aux adultes[4]. À l'adolescence, la curiosité, l'influence des amis, le défi face à un comportement interdit, le plaisir de se conduire comme un adulte, la négation de la dépendance à la nicotine, la conviction que le fait de fumer est un acte social dont il sera possible de se défaire par la suite sont autant de raisons pour commencer à fumer et pour ne pas comprendre qu'il ne s'agit plus vraiment d'un choix: l'adolescent devient très vite « accro » à la nicotine.

Une question se pose : « Où les jeunes enfants se procurent-ils leurs premières cigarettes ? » Elles proviennent souvent d'un parent ou d'un ami.

La fumée secondaire et le tabagisme passif

La fumée secondaire est la fumée exhalée par le fumeur; c'est aussi celle qui est produite à l'extrémité d'une cigarette, d'une pipe ou d'un cigare qui se consume. On identifie plus de 4 000 substances toxiques présentes dans la fumée secondaire (FTS) dont 50 sont cancérigènes.

La fumée de la cigarette véhicule plus de 4 000 produits chimiques dont 50 sont cancérigènes.

En plus des problèmes respiratoires et cardiovasculaires qu'elle suscite, la cigarette est la principale cause de nombreux décès liés aux incendies.

4. M.A. DALTON et al. « Use of cigarettes and alcohol by preschoolers while role-playing as adults " Honey, have some smokes" ». *Archives of Pediatrics and Adolescent Medicine* 2005 159 : 854-859.

TOUT UN COCKTAIL !

La fumée de la cigarette véhicule plus de 4 000 produits chimiques dont 50 sont cancérigènes.

En plus des problèmes respiratoires et cardiovasculaires, la cigarette est la principale cause de nombreux décès liés aux incendies.

Adapté de Santé Canada

Il est intéressant de noter que la fumée secondaire contient deux fois plus de nicotine et de goudron que la fumée inhalée par le fumeur: c'est le mode de combustion qui détermine les produits contenus dans la fumée. La fumée inhalée par le fumeur est produite par une combustion rapide, la fumée secondaire est produite par une combustion lente.

QUELQUES PRODUITS PRÉSENTS DANS LA FUMÉE SECONDAIRE (FTS) :

- Monoxyde de carbone
- Benzène
- Arsenic
- Métaux…
- Nicotine
- Ammoniaque
- Acide cyanhydrique

Le tabagisme passif est l'inhalation involontaire par un non fumeur de la fumée rejetée par un ou plusieurs fumeurs dans son entourage immédiat et de la fumée produite par la combustion des cigarettes, pipes et autres cigares allumés par les fumeurs. Le tabagisme passif a des effets néfastes sur la santé des non fumeurs.

L'exposition des enfants à la fumée secondaire multiplie les risques d'infection des voies respiratoires inférieures (bronchites, pneumonies) par 1,5 à 2 fois, augmente la fréquence des otites moyennes de 62 %, accroît la susceptibilité à contracter de l'asthme et aggrave les crises d'asthme. Les bébés exposés avant la naissance risquent d'être très petits à la naissance et les nourrissons présentent davantage de risques de mort subite. Des études ont démontré ces faits avec certitude. Les spécialistes ont mis en évidence les liens entre le tabagisme passif et les troubles du comportement de l'enfant, une susceptibilité aux allergies ainsi qu'à une diminution de la fonction pulmonaire. L'exposition à la fumée secondaire pendant l'enfance augmente aussi le risque que cette personne fume plus tard.

L'exposition des adultes non fumeurs à la fumée secondaire accroît les risques de maladies du cœur, de cancer du poumon, des sinus, du visage et du sein, entraîne des crises d'asthme et en aggrave les symptômes. Des études ont établi ces faits avec certitude. Les spécialistes ont mis en évidence les liens entre le tabagisme passif et les accidents vasculaires cérébraux, les cancers du rhinopharynx et du col de l'utérus et les symptômes respiratoires chroniques.

Le tabagisme passif a des impacts à tous les stades du développement de l'enfant, avant même sa naissance et jusqu'à l'adolescence.

Impact du tabac pendant la grossesse et l'allaitement

Comme on le sait, la cigarette contient de multiples produits chimiques, dont la nicotine. La nicotine augmente le rythme cardiaque du fœtus, réduit l'apport en oxygène et diminue la fonction respiratoire du bébé dès sa naissance. La femme enceinte qui fume court davantage de risques de faire une fausse couche, d'avoir un bébé prématuré, mort-né ou un enfant de petit poids à la naissance.

Pendant l'allaitement, en plus de la nicotine, on trouve des traces de tous les autres produits toxiques identifiés dans la fumée de cigarette dans le lait maternel. De plus, il y a davantage de risques que le nouveau-né soit victime du syndrome de la mort subite du nourrisson.

Des études ont démontré un lien entre l'exposition à la fumée de tabac pendant la grossesse et le risque d'avoir de l'asthme pendant l'enfance ou plus tard, à l'adolescence[5].

Impact du tabac pendant l'enfance

Les nourrissons et les enfants sont vulnérables à la fumée secondaire car ils sont en cours de développement : leur métabolisme est plus élevé que celui des adultes, ils absorbent donc davantage les produits toxiques auxquels ils sont exposés. L'effet nocif de la fumée peut avoir des conséquences immédiates ou à long terme sur leur état de santé. Les nourrissons et les jeunes enfants exposés à la fumée du tabac sont plus exposés aux infections des voies respiratoires telles que la bronchiolite, la bronchite, la pneumonie, la rhino-pharyngite, les otites, et ils risquent de souffrir d'asthme. L'exposition à la fumée secondaire peut aussi influencer le nombre de crises d'asthme ainsi que la gravité des symptômes. Elle peut aussi affecter précocement leur fonction respiratoire et nuire à leur développement.

Des études récentes suggèrent que les enfants exposés à la fumée secondaire ont plus de chances de devenir « accro » à la nicotine lors des premières expériences avec la cigarette puisqu'un effet « mémoire » (de plaisir immédiat) aura été inscrit dans les neuro-récepteurs de leur cerveau.

EFFETS DU TABAGISME SUR LA SANTÉ DES ENFANTS

- Syndrome de la mort subite du nourrisson
- Toux
- Hyperactivité des bronches
- Asthme
- Atteintes aigues et répétées des voies respiratoires
- Sifflement respiratoire
- Otites
- Allergies

5. K.H. CARLSEN et K.C. LODRUP CARLSEN. « Parental smoking and childhood asthma: clinical implications ». *Treatments in Respiratory Medicine* 2005 4 (5) : 337-346.

Impact du tabac pendant l'adolescence[6,7]

Même s'ils sont conscients du fait que le tabac est une cause importante de cancer, de maladies pulmonaires et de maladies cardiovasculaires, les adolescents ne se laissent pas facilement dissuader de fumer. Ils ont de la difficulté à se projeter dans l'avenir : le risque de contracter des maladies liées au tabac (cancer, infarctus, maladies respiratoires chroniques) à l'âge adulte ne les touche pas. Il faut donc miser sur les effets à court terme : diminution des performances sportives, mauvaise odeur corporelle, mauvaise haleine, doigts et dents jaunes, risques accrus d'accident vasculaire pour les adolescentes qui fument et utilisent les contraceptifs oraux et, en cas de grossesse, retard de croissance intra-utérine du fœtus et augmentation des risques de mortalité périnatale.

Les adolescents sont très sensibles aux arguments écologiques et aux dommages causés à l'environnement : il faut cinq ans pour qu'un mégot de cigarette soit biodégradé, le tabagisme augmente les risques d'incendie, la fumée passive est néfaste.

Plusieurs facteurs de risque face à la probabilité de devenir un fumeur ont été identifiés chez les adolescents :

- parents fumeurs ou permissifs face au tabac ;
- fréquentation d'amis fumeurs ;
- lieux de travail où le tabagisme est autorisé ;
- pauvre estime de soi ;
- difficultés scolaires ;

6. J. Harvey et L. Rochefort. « Pourquoi les adolescents deviennent-ils si "accro" ? Les adolescents et le tabagisme : première partie ». *Le Clinicien* 2001 16 (6) : 113-119.

7. J. Harvey et L. Rochefort. « Comment aider les adolescents à "écraser" ? Les adolescents et la tabagisme : deuxième partie ». *Le Clinicien* 2001 16 (7) : 89-98.

- préoccupation face au poids;
- faible statut socio-économique;
- croissance rapide de la dépendance à la nicotine;
- co-morbidité psychiatrique: anxiété, dépression;
- plus de 5 heures de télévision par jour.

L'impact de la fumée du tabac est aussi néfaste pour l'adolescent que pour l'enfant. Que ce soit parce que l'enfant est lui-même fumeur ou parce qu'il est exposé à la fumée secondaire, la fumée du tabac peut déclencher une crise d'asthme. Elle peut aussi augmenter l'inflammation bronchique et nuire à l'efficacité du traitement de l'asthme. Or, on le sait, lorsque l'asthme n'est pas maîtrisé, il peut avoir un impact sur l'état général de l'adolescent: hospitalisation, absentéisme scolaire, diminution des activités physiques, perte de poids ou obésité, etc.

Loi 112 sur l'usage du tabac dans les lieux publics

Étant donné l'impact du tabac sur la santé des fumeurs et des non fumeurs, le gouvernement du Québec, comme plusieurs autres gouvernements au Canada et ailleurs dans le monde, a choisi de légiférer afin de diminuer l'exposition des non fumeurs à la fumée secondaire et d'inciter les fumeurs à envisager de cesser de fumer.

Avec la loi 112, l'interdiction de fumer doit être respectée dans les restaurants et les bars. Son application à tous les lieux publics, comme les terrains des écoles et des centres de la petite enfance, se fait de façon progressive.

Les propriétaires de bars et de restaurants et certaines personnes vivent difficilement ces changements qu'ils considèrent comme dangereux pour l'économie de leur secteur, comme une atteinte à leur liberté et une intrusion dans la vie privée des citoyens.

Il faut pourtant rappeler que la majorité des citoyens sont non fumeurs et que la plupart des fumeurs respectent les règlements relatifs à l'usage du tabac.

Les expériences vécues ailleurs sont positives : l'impact de ces règlements sur l'économie est négligeable et tout le monde apprécie les espaces sans fumée. Vous souvenez-vous du temps où on pouvait fumer dans les avions ? Personne ne voudrait retourner en arrière.

Les lois qui réglementent l'usage du tabac et l'augmentation des taxes sur le tabac constituent deux éléments efficaces dans la lutte contre la consommation du tabac et, par la même occasion, dans l'amélioration de la santé des gens.

Recommandations afin d'inciter les gens à cesser de fumer et de les soutenir dans ce processus

Dès qu'un fumeur cesse de fumer, il améliore sa santé et les problèmes de santé reliés au tabac continuent de se résorber à mesure que se prolonge son abstinence. Quel que soit son âge, un non fumeur vivra plus longtemps qu'un fumeur du même âge.

L'abandon du tabac n'est pas une démarche facile. Beaucoup de fumeurs doivent faire plusieurs tentatives avant de pouvoir enfin arrêter. Mais quand on y pense, on n'apprend pas à nager ou à faire du vélo à la première tentative. Tout apprentissage requiert de la persévérance.

Les éléments sur lesquels on peut fonder des stratégies sont les suivants : la diminution de l'exposition à la fumée secondaire, l'abandon du tabagisme et la prévention du tabagisme.

Tous les fumeurs peuvent contribuer à éviter l'exposition des non fumeurs à la fumée secondaire **en fumant uniquement à l'extérieur (hors des maisons et des autos)**. Tous les non fumeurs peuvent choisir de fréquenter des lieux sans fumée et exiger que les fumeurs ne les exposent pas à la fumée secondaire. La majorité des fumeurs respecteront cette demande, surtout si elle est faite de manière courtoise.

Et si je fume dans une seule pièce de la maison ou encore sous la hotte ?

C'est à peine mieux ! Il y a toujours une quantité de la fumée qui reste dans la maison, se dépose sur les meubles, les tapis, etc., et qui est néfaste.

En conclusion, **la prévention du tabagisme** mise sur la stratégie suivante : c'est tellement plus facile de ne pas fumer quand on n'a jamais commencé !

Il est important d'encourager les non fumeurs à rester non fumeurs, d'agir auprès des jeunes enfants et des adolescents afin qu'ils ne fassent pas l'essai de la cigarette et des autres produits du tabac. Les adultes doivent donner l'exemple en cessant cette mauvaise habitude qui nuit grandement à leur santé et à celle de leurs proches et qui risque de les enlever prématurément à l'affection de leur famille et amis.

Le tabagisme est une dépendance. Il n'est pas normal de fumer. La cigarette est le seul produit de consommation qui est mortel s'il est consommé tel que convenu (voir l'annexe 2B).

La pollution et les odeurs fortes

Renseignements

Des irritants tels que la fumée de cigarette, les produits en aérosol, le parfum, la peinture, l'eau de javel, les cuisinières et les radiateurs au gaz en mauvais état sont aussi des déclencheurs éventuels de crise d'asthme. Les nombreux gaz libérés à la suite de l'utilisation des foyers sont de puissants irritants pour les bronches. Tous ces facteurs peuvent également augmenter les symptômes d'allergies.

L'exposition à la pollution de l'air est néfaste en particulier pour le système respiratoire en développement des jeunes enfants. Ceux-ci sont plus sensibles à la pollution de l'air intérieur car ils y passent de longues périodes. Selon le réseau canadien de la santé, nous passons plus de 90 % de notre temps à l'intérieur.

Actuellement, les données sont peu concluantes face à l'efficacité des purificateurs d'air. Nous ne pouvons donc pas les recommander.

C'est ainsi qu'en diminuant la présence des irritants dans votre environnement, vous pourrez réduire les réactions allergiques.

Conseils et mesures préventives

- Favorisez des produits nettoyants n'ayant pas d'odeur forte (sans ammoniac, par exemple) ou des détergents plus « naturels » (bicarbonate de soude, vinaigre, sel, etc).
- Réduisez l'utilisation et l'entreposage des solvants, de la peinture ainsi que les produits en aérosols (cosmétiques et produits de nettoyage). Tout produit ayant une odeur forte est susceptible de constituer un irritant pour les bronches. Évitez que votre enfant soit exposé à ces produits.
- Aérez les pièces quotidiennement en ouvrant les fenêtres. Ventilez toujours bien les pièces de la maison où il peut y avoir des produits nocifs ou pendant leur utilisation.
- Évitez le parfum en présence d'un enfant asthmatique.
- Faites un entretien régulier de vos appareils au gaz (cuisinière, radiateurs, etc.).
- Si possible, n'utilisez pas le bois comme principale source de chauffage, ni de façon régulière.

Les facteurs irritants provenant de l'extérieur de la maison

La pollution de l'air et les changements climatiques

Renseignements

Lorsque les vents sont de faible intensité, les polluants des grands centres (les gaz d'échappement des voitures et des usines, les feux de foyer, etc.) restent sous forme de brouillard brunâtre qui flotte au-dessus des villes ; c'est ce qu'on appelle le smog. Il est plus fréquent d'avril à septembre.

La forte pollution de l'air, les écarts de température, le vent et le froid peuvent provoquer des symptômes d'asthme. Chaque personne asthmatique réagira différemment à ces facteurs.

Conseils et mesures préventives

- Évitez les pesticides sur votre terrain. D'ailleurs, plusieurs municipalités les interdisent depuis quelques années.
- Aérez la maison tôt le matin.
- Durant les périodes de forte pollution (smog) :
  - surveillez les alertes de smog annoncées dans les médias ;
  - évitez d'ouvrir les fenêtres ;
  - effectuez de préférence des activités à l'intérieur.
- Couvrez avec un foulard le nez et la bouche de votre enfant par temps très froid.

Les facteurs liés à la personnalité et aux activités

Les émotions

Renseignements

L'asthme **ne résulte pas de facteurs psychologiques** (voir en page 104). Par ailleurs, le stress positif et le stress négatif peuvent déclencher ou accentuer des symptômes d'asthme chez l'enfant asthmatique dont les bronches sont déjà enflammées. Les divers aspects du stress chez les enfants peuvent être différents de ceux des adultes, car ils n'ont pas les mêmes priorités ou préoccupations.

De plus, les difficultés respiratoires fréquentes peuvent créer un stress chez l'enfant plus vieux et chez ses parents. À noter qu'à l'adolescence, les symptômes d'hyperventilation peuvent se manifester. Lors d'une difficulté respiratoire, demandez à votre enfant comment il se sent, si possible avant et après l'administration du bronchodilatateur. Il décrira sa crise d'asthme dans ses propres mots. Recommandez-lui de toujours informer un adulte lorsqu'il est en difficulté respiratoire, que ce soit à l'école ou chez un ami.

Conseils et mesures préventives

- Lors d'un stress important, faites adopter une technique de relaxation par l'enfant; par exemple, respirer profondément et lentement (respirations abdominales). À ce sujet, voir le chapitre 3, à la page 70. Faites verbaliser l'enfant et soyez à l'écoute des problématiques possibles.
- Portez une attention particulière afin de voir si votre enfant tousse ou est essoufflé rapidement quand il rit ou pleure de façon intense. Il s'agit d'un effort respiratoire pour le jeune enfant. Normalement, une bonne maîtrise de son asthme lui permettra d'exprimer ses émotions sans ces inconvénients.

L'activité physique

Renseignements

L'exercice intense peut déclencher un bronchospasme. Certaines activités peuvent causer plus de symptômes que d'autres, notamment les sports d'hiver et la course à pied.

Est-ce que mon enfant peut faire du sport?

L'exercice physique est recommandé pour tous les enfants. Les asthmatiques évitent souvent de faire de l'exercice pour ne pas déclencher de symptômes d'asthme. Cependant, l'exercice est une bonne chose pour tous, même pour les asthmatiques. Une activité physique régulière permet:

- d'augmenter la tolérance à l'effort;
- de garder un poids santé;
- d'améliorer la flexibilité, la posture et la force musculaire;
- d'améliorer l'endurance et la fonction cardio-respiratoire.

Est-ce que mon enfant doit ou peut être dispensé d'éducation physique?

L'enfant asthmatique est comme tous les autres élèves, il doit se sentir accepté par ses compagnons. Il est important qu'il participe aux activités d'éducation physique et aux sports de façon quotidienne. Tous les sports sont recommandés pour les asthmatiques à l'exception de la plongée sous-marine. Un isolement social peut survenir si des restrictions sont imposées par des parents ou des entraîneurs. L'enfant apprendra à connaître ses limites. Il est important d'encourager l'élève lors de ses efforts. Selon ses besoins, l'enfant pourra utiliser son bronchodilatateur avant son activité physique si cela lui est prescrit.

Soyez vigilant afin de reconnaître les signes d'une détérioration sur le plan respiratoire. Une toux durant ou après l'exercice peut être un symptôme d'asthme. Rappelez-vous qu'il s'agit d'un critère de maîtrise de l'asthme. Si nécessaire, ajustez le traitement de l'enfant en fonction du plan d'action déjà établi par votre médecin.

Si votre enfant n'arrive plus à faire du sport, parlez-en à son médecin. Celui-ci vérifiera s'il y a eu une aggravation de son état de santé. Plusieurs personnes asthmatiques pratiquent des sports de haut niveau en maîtrisant adéquatement leur asthme.

Conseils et mesures préventives

- Assurez-vous que l'entraîneur a été avisé que votre enfant est asthmatique.
- Encouragez l'enfant à pratiquer une activité qu'il aime tout en respectant ses limites.
- Laissez l'enfant utiliser son bronchodilatateur (pompe bleue) avant l'effort, par mesure de prévention, selon l'ordonnance du médecin.
- Prévoyez une période de réchauffement et, à la fin, réduisez progressivement l'intensité de l'exercice.
- Demandez à l'enfant s'il constate que ses copains sont moins essoufflés que lui pour une même activité afin d'évaluer sa tolérance à l'effort. Transmettez cette information lors de votre prochain rendez-vous médical.
- Apprenez à votre enfant à faire des liens entre son besoin du bronchodilatateur et les activités physiques qui lui semblent plus difficiles. Par exemple, faites-lui remarquer qu'il est plus essoufflé ou qu'il tousse durant l'activité lorsqu'il n'a pas utilisé son bronchodilatateur et, vice versa, qu'il n'est pas restreint dans son activité intense lorsqu'il a utilisé son bronchodilatateur.
- Évitez de faire de l'exercice à l'extérieur s'il fait trop froid, trop chaud, durant la saison du pollen (en présence de sensibilité ou d'allergie) ou lors des périodes de smog.
- Si l'exercice déclenche des symptômes, il faut l'interrompre; demandez à l'enfant de se reposer et d'utiliser le bronchodilatateur tel que prescrit, si celui-ci n'a pas été utilisé avant l'activité physique.

Les facteurs liés à l'école et en milieu de garde

École, garderie et activités parascolaires

Que votre enfant fréquente la garderie ou l'école, un bon environnement est essentiel à la maîtrise de l'asthme. Pour assurer le bien-être de l'enfant asthmatique dans son milieu préscolaire et scolaire, une collaboration étroite est essentielle entre les intervenants, l'élève et les parents. Vous pouvez, par exemple, apporter le *Guide de l'enfant asthmatique – À l'intention des intervenants des milieux préscolaire et scolaire* (voir aussi les fiches aux annexes 2A et 2B) au professeur au début de l'année scolaire. Cela permettra une meilleure communication.

Dans les garderies, il est important de faire de la prévention des infections respiratoires qui sont malheureusement courantes chez les tout-petits. De plus, il ne devrait pas y avoir d'animaux, d'objets poussiéreux ni de fumée de cigarette. Une attention particulière devrait être apportée aux aliments qui contiennent des noix ou des arachides afin de protéger les enfants qui y seraient allergiques.

Est-ce que mon enfant peut fréquenter une garderie ?

Afin de favoriser le développement et la sociabilité de l'enfant, le contact fréquent avec d'autres enfants est une bonne chose. Par contre, plus le nombre d'enfants est élevé, plus le risque d'infection mineure l'est. C'est pourquoi le fait de placer un enfant dans une garderie en milieu familial, si possible où il y a moins de six enfants, aide à diminuer le nombre d'infections respiratoires et, en même temps, cela aide à maîtriser l'asthme. Discutez-en avec votre médecin.

Il est très fréquent que l'absentéisme scolaire soit relatif à une maîtrise insuffisante de l'asthme chez l'enfant. En plus des recommandations faites concernant les facteurs inflammatoires, irritants et liés à la personnalité ou aux activités présentées, il est recommandé d'éviter d'exposer l'enfant à la poussière de craie (en l'assoyant loin des tableaux et en évitant les corvées qui y sont reliées) et à la présence d'animaux durant les heures de classe. Appliquez également des consignes rigides face à l'interdiction faite aux mineurs de fumer à l'intérieur de l'école et sur les terrains à l'extérieur de l'établissement (légalement, les jeunes n'ont pas le droit d'acheter des produits du tabac).

Situation d'urgence à l'école ou dans le milieu de garde

Malgré toutes les précautions prises, un enfant peut faire une crise d'asthme à l'école. Voici les mesures et les interventions à appliquer lorsqu'un enfant est en difficulté respiratoire.

- Parlez à l'enfant calmement tout en le rassurant.
- Ne laissez jamais l'enfant seul.
- Faites arrêter toute activité à l'élève, amenez-le à se détendre et à prendre la position assise en gardant les épaules détendues et abaissées. Voir le chapitre 3, en page 70.
- En respirant lentement par la bouche et en lui demandant de suivre votre rythme, vous l'aiderez à maîtriser sa respiration ; favoriser l'expiration lente.
- Encouragez l'élève à utiliser le bronchodilatateur (pompe bleue) en inhalation avec son tube d'espacement ou en poudre, selon l'ordonnance.
- Observez l'évolution de la crise : si l'élève n'est pas soulagé après la première dose de médicament, attendez 10 à 15 minutes et, exceptionnellement, redonnez-lui une deuxième dose.
- Avisez toujours le parent ou l'adulte responsable de l'élève.

Quand appeler les services d'urgence ?

Après avoir appliqué les mesures d'urgence, il vous faut appeler les services d'urgence si les symptômes ou des signes d'aggravation de son état persistent après utilisation du bronchodilatateur. Ces signes sont:

- une respiration difficile et rapide;
- un tirage au niveau du sternum et des côtes;
- un essoufflement qui oblige l'enfant à faire des phrases de 1 ou 2 mots;
- la fatigue, l'anxiété et la transpiration;
- les lèvres et la base des ongles qui deviennent bleuâtres ou grisâtres;
- une altération de la conscience.

Notez qu'il est important qu'un responsable de l'école accompagne l'enfant en ambulance, sauf si un parent est sur place.

En conclusion

Plusieurs recommandations ont été faites afin d'adapter l'environnement au mieux-être de l'enfant asthmatique. Essayez d'appliquer ces mesures étape par étape afin d'optimiser la maîtrise de l'asthme. De plus, conserver un bon environnement demeure un défi de tous les jours; c'est donc dans les gestes quotidiens que vous apprécierez ces avantages. Toutefois, si l'asthme n'est pas maîtrisé, il perturbera la qualité de vie de votre enfant et celle de toute la famille.

Pour en savoir davantage, n'hésitez pas à poser des questions à l'équipe médicale. Et souvenez-vous que l'amélioration de votre environnement ne peut pas toujours, à elle seule, rétablir l'état de santé de votre enfant.

Bibliographie

AGRICULTURE, PÊCHERIES ET ALIMENTATION. *Les allergies alimentaires.* Québec: MAPAQ, 2004.

BERGER, William E. et Pierrick HORDÉ. *Asthme et allergies pour les nuls.* Paris: First, 2001.

BOULET, Louis-Philippe (Éd.). *L'asthme: notions de base, éducation, intervention.* Québec : Presses de l'Université Laval, 1997.

BROUSSEAU, Renée, Marie-Dominique COSSETTE et Suzanne DUROCHER. *Guide de l'enfant asthmatique: à l'intention des intervenants des mileux préscolaire et scolaire.* Montréal: Hôpital Sainte-Justine, 2003.

GLAXO WELLCOME INC. *L'asthme au Canada: un sondage déterminant.* Saint-Laurent: Glaxo Wellcome Inc., 2000. (Document PDF: www.asthmeaucanada.com/manage/execsumm_fr.pdf)

GOLD, Milton et Barry ZIMMERMAN. *Les allergies chez l'enfant: manuel à l'usage des parents.* Toronto: Hospital for Sick Children/ Montréal: Transmonde, 1987.

HORDÉ, Pierrick et Anne DES ROCHES. *Reconnaître et combattre les allergies chez l'enfant.* Montréal: Flammarion Québec, 2002.

MINISTÈRE DE LA SANTÉ ET DES SERVICES SOCIAUX DU QUÉBEC. *Protocole d'immunisation du Québec.* Québec: Direction des communications du MSSS, 2004. Document sur le web:

www.msss.gouv.qc.ca/sujets/santepub/preventioncontrole/immunisation

SOCIÉTÉ CANADIENNE D'HYPOTHÈQUE ET DE LOGEMENT. *Combattre les moisissures: guide pour les propriétaires-occupants.*
Ottawa: SCHL. Document sur le web:
http://192.197.69.104/fr/co/enlo/vosavoma/humo/humo_005.cfm

CHAPITRE 3

COMMENT TRAITER VOTRE ENFANT ASTHMATIQUE ?

▼

PAR GENEVIÈVE FORTIN, SYLVIE LAPORTE, ANNIE LAVOIE ET ROBERT L. THIVIERGE

Les habitudes de vie

Nous avons discuté jusqu'ici de l'asthme en tant que maladie et des facteurs environnementaux qu'il faut éviter. Un peu plus loin dans ce chapitre, il sera question du traitement médicamenteux de l'asthme. Par ailleurs, la maîtrise de l'asthme et une meilleure qualité de vie passent également par de saines habitudes. Dans les pages qui suivent, vous trouverez des conseils généraux sur les petites choses de la vie courante qui favorisent le bien-être, la santé et la bonne forme physique.

L'alimentation

Il est important pour l'enfant asthmatique, tout comme pour les autres enfants, d'avoir une alimentation variée. Pour les repas et les collations de l'enfant, il faut privilégier des aliments comptant parmi les quatre groupes alimentaires, incluant les produits laitiers.

Est-ce que les produits laitiers augmentent les sécrétions bronchiques ?

Non ! Le lait et les produits laitiers n'augmentent pas la production de sécrétions ou de mucus dans les bronches. C'est une croyance populaire. Alors, même lorsque l'asthme de votre enfant n'est pas maîtrisé, une alimentation normale doit se poursuivre. Évidemment, vous devez tenir compte des intolérances et des allergies alimentaires propres à votre enfant.

N'oubliez pas que votre objectif est que votre enfant maintienne un poids santé sans carence ni surplus de poids. Pour cela, offrez de préférence des collations santé comme des fruits, du yogourt et des bâtonnets de légumes, et encouragez l'activité physique (voir la section *L'activité physique,* à la page suivante). Votre enfant devrait être pesé et mesuré une fois par année chez le médecin de famille ou le pédiatre et, selon sa courbe de croissance, vous serez en mesure de savoir s'il maintient un poids santé.

Le sommeil

Lorsque l'asthme est bien maîtrisé, le sommeil de votre enfant est normal, c'est-à-dire qu'il s'endort le soir et qu'il se réveille au petit matin sans avoir manifesté de toux ou d'autres symptômes respiratoires. Le besoin de sommeil est différent d'un enfant à l'autre. Certains enfants dorment plus que d'autres. Si votre enfant mange bien, s'il est actif et n'est pas fatigué durant la journée (sauf au moment des siestes), c'est que son sommeil est bon et réparateur.

Si votre enfant a un rhume ou une grippe, permettez-lui de récupérer, faites-lui faire une sieste et si les symptômes d'asthme augmentent :

- procédez à l'hygiène nasale (lavage du nez) avant qu'il aille dormir pour qu'il puisse respirer par le nez pendant son sommeil (voir technique et recettes à l'annexe 3A) ;

- soulevez la tête du lit ou ajoutez des oreillers pour que le haut de son corps (tête et épaules) soit surélevé ; il respirera mieux de cette façon ;
- s'il se réveille avec une toux ou en présentant d'autres symptômes respiratoires, soulagez-le avec le bronchodilatateur (pompe bleue) ; évitez les sirops contre la toux (voir la section *Les médicaments à éviter* à la page 84).

Mon enfant n'est pas malade, mais il tousse presque toutes les nuits sans que ça le réveille. Le jour, il est en pleine forme. C'est normal ?

Non ! Si votre enfant est asthmatique et qu'il tousse la nuit ou lors de la sieste, c'est un signe que l'asthme n'est pas maîtrisé. Vous pouvez en parler au médecin de votre enfant et appliquer votre plan d'action (voir *Le plan d'action* à la page 93).

L'activité physique *

Vous pensez peut-être que, parce que votre enfant est asthmatique, il faut interrompre le sport et les activités physiques.

Non seulement votre enfant peut pratiquer son sport préféré, mais nous l'encourageons à demeurer actif tous les jours. L'activité physique est bénéfique en plusieurs points.

- Elle augmente la tolérance à l'effort.
- Elle améliore les fonctions cardiaques et respiratoires.
- Elle contribue à maintenir un poids santé.
- Elle permet d'évacuer le trop plein d'énergie.

Voici des points à retenir en ce qui concerne l'activité sportive.

- Visez la maîtrise de l'asthme.

---

* Voir aussi en page 57.

- Si le médecin de votre enfant a prescrit une médication préventive, administrez-la au moins 15 minutes avant l'activité physique.
- Prévoyez une période d'échauffement avant l'activité physique.
- Évitez les activités physiques par temps très chaud ou très froid.
- À l'action !

Les rhumes et l'hygiène nasale

Lorsqu'une infection survient (rhume, grippe, otite), il arrive fréquemment que l'appétit diminue et que l'enfant mange moins. Il est d'autant plus important de choisir des aliments qui l'aideront à conserver une partie de son énergie. De plus, en encourageant l'enfant à boire beaucoup de liquide (eau, jus, bouillon, etc.), on lui permet de bien s'hydrater et de liquéfier les sécrétions bronchiques.

Saviez-vous que…

Le meilleur expectorant pour aider à dégager les sécrétions bronchiques est l'eau ? En effet, l'eau de même que les liquides que l'on boit aident à rendre les sécrétions moins épaisses, donc plus faciles à expectorer, à dégager, à tousser.

Le nez est une partie du corps importante lorsqu'il est question d'asthme. Il accomplit trois fonctions importantes : réchauffer l'air qui y entre, l'humidifier et le filtrer de certaines particules indésirables. S'il est congestionné, on perd ces trois fonctions et l'air respiré par la bouche est donc plus irritant pour les bronches.

L'hygiène nasale est donc essentielle. Vous devez encourager votre enfant à se moucher régulièrement pour maintenir son nez bien dégagé et lui permettre de respirer librement par le nez. Pour apprendre à votre enfant à se moucher, demandez-lui de faire des bulles avec le nez lorsqu'il prend son bain. Si les sécrétions nasales sont épaisses ou si votre enfant est trop jeune pour se moucher, utilisez une préparation d'eau saline quatre fois par jour ou plus :

- une préparation commerciale : *Salinex®*, *Hydrasens®*, *Rhinaris®*, *Stérimar®* ;
- une recette maison (voir l'annexe 3A).

Voici ce qu'il faut retenir en cas de rhume ou d'une autre infection.

- Permettez à l'enfant de bien se reposer.
- Offrez-lui beaucoup de liquide pour qu'il demeure bien hydraté.
- Administrez-lui de l'acétaminophène toutes les quatre heures s'il fait de la fièvre.
- Gardez son nez bien dégagé.
- Ajustez la médication stabilisante (pompe orange ou brune comme le *Flovent®*) selon les recommandations du médecin de famille ou du pédiatre (voir *Le plan d'action* en page 93).
- Si la toux est importante, évitez les sirops contre la toux et soulagez votre enfant avec son bronchodilatateur de courte durée d'action (pompe bleue) à toutes les quatre à six heures, au besoin.

La relaxation

Nous avons vu précédemment que le stress et les émotions sont des facteurs pouvant aggraver l'asthme. Si votre enfant vit des moments d'émotions fortes (examens, difficultés à l'école, fêtes, Noël, etc.) et que la maîtrise de l'asthme n'est pas optimale, il est possible que vous remarquiez une augmentation des symptômes en fréquence et en intensité. Favorisez des moments de détente peut aider à diminuer les tensions et reprendre la maîtrise de l'asthme.

Plusieurs activités peuvent aider votre enfant à relaxer.

- Écouter de la musique douce.
- Faire une activité à l'extérieur.
- Faire une activité manuelle.
- Lui faire un massage.
- Faire des exercices respiratoires.
- Prendre une position de relaxation.

Les exercices respiratoires et les positions de relaxation

La respiration abdominale est une façon de prendre conscience et de maîtriser sa respiration. C'est un exercice simple et très efficace pour la détente.

- L'enfant se couche sur le dos. Pour le plus jeune enfant, on peut déposer une boîte de mouchoir ou un petit livre sur son ventre pour qu'il puisse bien voir le mouvement de la respiration.
- Les bras sont croisés sous la tête ou allongés le long du corps.

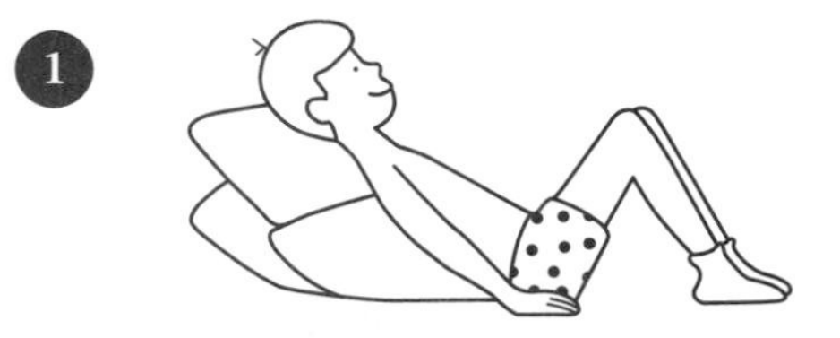

- L'enfant inspire par le nez en comptant 1-2. Avec l'inspiration, la boîte de mouchoir se soulève. L'air fait gonfler l'abdomen et non la poitrine.

- Il retient sa respiration deux à trois secondes, puis il laisse l'air sortir par la bouche en comptant 1-2-3-4. La boîte de mouchoir redescend.
- Il répète les étapes 2 et 3 de 10 à 15 fois.
- Lorsqu'il est bien familier avec cette respiration, l'enfant peut la pratiquer assis en posant une main sur son ventre.

Voici maintenant différentes **positions de relaxation**.

On place des oreillers par terre ou à la tête d'un lit. L'enfant se couche sur le côté, la poitrine et la tête sont appuyées sur les oreillers, les genoux sont fléchis.

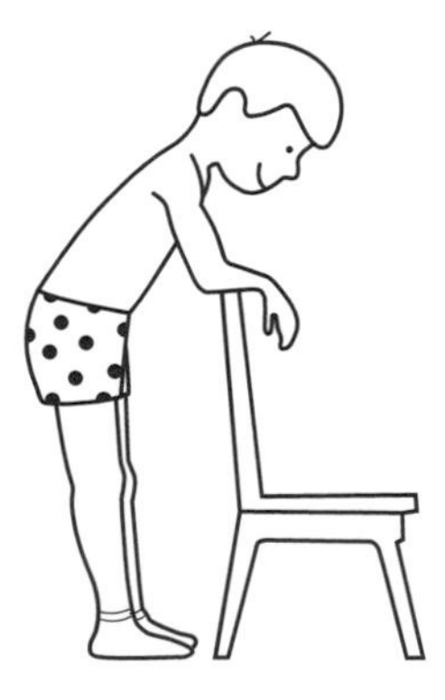

L'enfant est debout derrière une chaise, les bras sont appuyés sur le dossier.

On place des oreillers sur une table. L'enfant s'assoit sur une chaise et appuie sa poitrine et sa tête sur les oreillers.

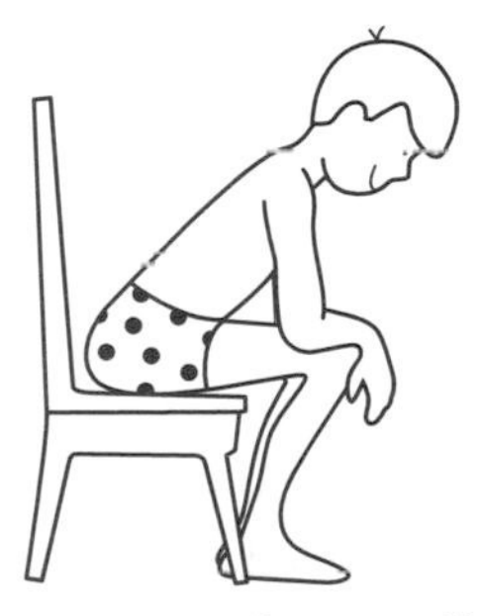

L'enfant s'assoit et se penche vers l'avant en gardant le dos droit. Les avant-bras sont appuyés sur les genoux.

On place des oreillers par terre ou à la tête d'un lit. L'enfant s'assoit sur les talons et appuie sa poitrine et sa tête sur les oreillers.

L'enfant peut prendre successivement chacune de ces positions et pratiquer la respiration abdominale.

S'il est en crise ou en difficulté respiratoire, l'enfant prend la position qu'il trouve la plus confortable pour se détendre et pratique calmement et doucement la respiration abdominale*.

Le traitement médicamenteux de l'asthme

Quand on pense au traitement d'une maladie, la première chose qui vient à l'esprit est l'utilisation des médicaments. Pourtant, en ce qui concerne l'asthme, les médicaments ne constituent pas le seul traitement. En fait, dans un monde idéal, on parviendrait à être tellement efficace dans la prévention de la maladie que l'utilisation des médicaments serait superflue. Dans le monde réel, le traitement de l'asthme s'appuie toujours sur la prévention et l'évitement des facteurs qui déclenchent la maladie. Comme ces facteurs sont souvent difficiles à éviter totalement, une médication est souvent nécessaire pour maîtriser les manifestations de la maladie. Le traitement de l'asthme s'effectue en trois grands volets.

PREMIER VOLET

Connaître la maladie de votre enfant et identifier les facteurs qui déclenchent l'asthme dans son cas. L'aide et le suivi des professionnels de la santé vous seront précieux pour y parvenir (voir le chapitre 1).

DEUXIÈME VOLET

Adopter des habitudes de vie et adapter son milieu de vie pour éliminer ou réduire le plus possible ces facteurs déclenchants (voir la section *Les Habitudes de vie* à la page 63 et le chapitre 2).

---

* Les images sont tirées du *Programme pour asthmatique* de la Cité de la Santé de Laval (1985), qui en a aimablement autorisé la reproduction.

TROISIÈME VOLET

Utiliser les médicaments prescrits par le médecin pour prévenir l'apparition des symptômes (maîtrise de l'asthme) et réagir adéquatement lorsqu'ils surviennent (voir le chapitre 4 et la section *Le plan d'action* à la page 93).

Le but du traitement

Le but du traitement de l'asthme est de permettre à l'enfant et à sa famille de vivre une vie active et normale. Idéalement, il n'y aurait aucun symptôme. Toutefois, dans le monde réel et selon le *Consensus canadien de l'asthme,* les critères d'une maîtrise acceptable de l'asthme sont les suivants:

TABLEAU DES CRITÈRES DE MAÎTRISE DE L'ASTHME

Asthme maîtrisé?	Oui	Non	Pas du tout
	Vie normale Activités physiques régulières	Toux Essoufflement Sifflement Symptômes de rhume	Je n'en peux plus! Respiration rapide Toux continue
Symptômes le jour	Rares Moins de 4 fois/semaine	Réguliers Plus de 3 fois/semaine	Fréquents Tous les jours
Symptômes la nuit	Aucun	Quelques nuits	Plusieurs nuits
Bronchodilatateur	Moins de 4 fois/semaine	Plus de 3 fois/semaine	Soulagement moins de 3-4 heures
Activités physiques	Normales	Limitées	Très limitées ou impossibles
Débits expiratoires de pointe	90 à 100%	60 à 90%	Moins de 60%

Tableau adapté du plan d'action de l'Hôpital Laval.

Le traitement médicamenteux et non médicamenteux vise à obtenir et à maintenir cette maîtrise de l'asthme. Lorsqu'on perd la maîtrise de l'asthme, il faut considérer que c'est l'inflammation bronchique qui s'intensifie et qui provoque une augmentation des symptômes.

1. **Les anti-inflammatoires**: Ils servent à limiter ou à éliminer l'inflammation (l'irritation, l'enflure) présente en permanence dans les bronches, chez la majorité des personnes asthmatiques. Ces médicaments **traitent** la source même de l'asthme mais n'agissent pas instantanément.
2. **Les bronchodilatateurs**: Ils servent à ouvrir (ou à dilater) les bronches en décontractant les muscles qui les entourent. Ces médicaments **soulagent** les symptômes de l'asthme très rapidement mais sans en attaquer la source.

Par analogie avec une jambe cassée, on peut imaginer que les bronchodilatateurs (pompes de couleur bleu) sont les béquilles qui nous aident à fonctionner (tout de suite) malgré la jambe brisée alors que les anti-inflammatoires (pompes de couleurs orange ou brun) seraient plutôt le plâtre qu'on applique pour guérir la fracture (à plus long terme).

La majorité des médicaments pour traiter l'asthme sont administrés en inhalation (pompes) de façon à en augmenter l'efficacité et à limiter le risque d'effets indésirables (ou « effets secondaires »). De plus, il paraît logique d'appliquer la médication directement là où se loge la maladie et c'est ce que permettent les médicaments inhalés pour traiter l'asthme.

Les anti-inflammatoires

Beaucoup d'enfants asthmatiques ont besoin d'un traitement anti-inflammatoire. Sachant que la source de l'asthme est l'inflammation des bronches et que cette inflammation est active chez la majorité des personnes asthmatiques même lorsqu'ils se sentent « bien », on comprend qu'un anti-inflammatoire est tout indiqué pour limiter ou éliminer cette inflammation. Pour nombre d'entre eux, la prise continue d'un anti-inflammatoire sera nécessaire afin de prévenir et de diminuer l'importance et la durée des crises d'asthme. De plus, la prise régulière d'un anti-inflammatoire permettra de limiter la présence de symptômes d'asthme qui, comme la toux durant la nuit, ne sont pas toujours assez intenses pour être qualifiés de période de « crise », mais sont souvent très incommodants. Il existe différents anti-inflammatoires qu'on peut prendre sous forme d'inhalateurs, de comprimés ou de sirops.

Corticostéroïdes en inhalation (pompes orange ou brune)

Sauf dans les cas les plus légers, les corticostéroïdes en inhalation (CSI) sont actuellement le traitement de choix pour lutter contre l'asthme. On les recommande à beaucoup de personnes asthmatiques pour atteindre la maîtrise de la maladie. Ils sont le plus souvent prescrits deux fois par jour. Une fois la maîtrise de l'asthme obtenue, le médecin tentera de trouver avec vous et votre enfant la plus petite dose efficace permettant de conserver cette maîtrise. Pour plusieurs enfants, cette petite dose devra être utilisée en continu, pendant une période plus ou moins longue (de quelques semaines à quelques mois), même quand l'enfant se porte bien. Le médecin pourra aussi vous prescrire, dans le cadre du plan d'action qu'il vous remettra, une dose plus élevée à utiliser durant les périodes d'aggravation de l'asthme (lorsque l'asthme n'est plus maîtrisé). Quand on commence l'administration des corticostéroïdes en inhalation ou quand on augmente la dose chez un enfant qui en prend déjà, les effets ne sont pas immédiats. En effet, l'action des corticostéroïdes en inhalation ne se fait sentir qu'après quelques jours. À plus long terme, l'effet se poursuit et, pour plusieurs enfants, les bénéfices ne sont complets qu'après plusieurs semaines d'utilisation continue.

Il existe différentes marques de corticostéroïdes en inhalation et différentes formes d'inhalateurs (appelés dispositifs ou pompes) sur le marché :

- Aérosol-doseur : *Flovent®*, *Qvar®*.
- Poudre sèche : *Flovent®*, *Pulmicort®*.

Lorsqu'ils sont utilisés à doses comparables, ils ont une efficacité et des effets indésirables semblables. Le choix du corticostéroïde et du dispositif se fera en fonction de l'âge de votre enfant et de ses préférences. Les enfants de moins de 6 ans doivent généralement prendre l'aérosol-doseur avec un dispositif d'espacement (*Aerochamber®*, *Ventahaler®*, etc. : voir à ce sujet le chapitre 4) car, avant cet âge, l'inspiration n'est pas suffisamment puissante pour les inhalateurs de poudre sèche. L'enfant plus âgé pourra continuer d'utiliser l'aérosol-doseur avec un dispositif d'espacement ou adopter un dispositif de poudre sèche. Vous trouverez au chapitre 4 les techniques d'inhalation selon les différents dispositifs.

Est-ce qu'il peut y avoir un effet de dépendance ou d'accoutumance avec ces médicaments ?

Non, aucune des études obtenues jusqu'ici ne démontrent un tel phénomène. Ces médicaments ne font qu'un bref séjour au site de leur absorption (muqueuse bronchique) et ne s'accumulent donc pas.

Les effets indésirables causés par les corticostéroïdes en inhalation sont en général mineurs et sans gravité surtout si on les prend avec un dispositif d'espacement. On retrouve chez moins de 10 % des patients :

- une altération de la voix (voix rauque) ;
- une infection causée par des champignons au niveau de la bouche (appelée muguet) :

- on peut prévenir l'apparition du muguet en buvant, en mangeant, en se rinçant la bouche avec de l'eau ou en se brossant les dents après l'inhalation de corticostéroïdes ;
- cette infection mineure se traite facilement avec un antifongique en gargarisme (rince-bouche contre le champignon).

Des effets indésirables plus significatifs peuvent survenir chez certaines personnes, mais cette situation est rare et se produit lorsqu'on utilise des doses très élevées durant des périodes prolongées (plusieurs années). On doit également considérer que l'asthme non-maîtrisé a lui-même des effets secondaires. Finalement, la médication ne doit pas entraîner d'avantage d'effets indésirables que la maladie elle-même. La popularité des corticostéroïdes en inhalation provient justement de ce que le médicament est inhalé et que sa déposition et son action sont destinées aux bronches : là où se situe la maladie. On augmente ainsi l'efficacité en limitant le risque d'effets indésirables. De plus, en suivant la philosophie du traitement, on administre la plus petite dose efficace afin d'assurer la maîtrise de la maladie.

Lorsque les doses de corticostéroïdes en inhalation sont élevées et que le risque d'effets indésirables augmente, on peut utiliser d'autres médications qui sont maintenant disponibles sur le marché (anti-leucotriènes, bronchodilatateurs à longue durée d'action, etc.) pour nous permettre d'améliorer ou d'assurer la maîtrise de l'asthme sans pour autant entrer dans une zone où le risque d'effets indésirables causés éventuellement par les corticostéroïdes en inhalation excède ceux que la maladie peut entraîner.

Corticostéroïdes oraux (en comprimés, en sirop) ou intraveineux

Les corticostéroïdes oraux (en comprimés ou en sirop) ou intraveineux sont les médicaments les plus efficaces pour traiter l'asthme. Ils sont cependant moins utilisés car ils peuvent causer plus d'effets indésirables surtout s'ils sont pris pendant des périodes prolongées (plusieurs mois). En général, on les réserve pour deux situations.

- Lorsqu'on administre un traitement de quelques jours chez les enfants en période de crise d'asthme modérée ou grave afin d'obtenir un effet anti-inflammatoire maximal et RAPIDE. En effet, leur action débute en quelques heures et les effets indésirables qui les accompagnent sont limités.
- Lorsque, malgré l'utilisation régulière de nombreux médicaments donnés à dose optimale, l'asthme grave persiste chez certains enfants. L'administration prolongée de corticostéroïdes oraux sera alors nécessaire afin d'arriver à maîtriser l'asthme.

Il existe deux contre-indications au traitement de corticostéroïdes oraux à cause du risque de complications plus élevé.

- L'enfant qui n'a pas encore eu la varicelle et qui a été en contact au cours de la dernière période de 21 jours avec quelqu'un ayant cette maladie.
- L'enfant qui a reçu le vaccin contre la varicelle dans les 21 derniers jours.

Si les corticostéroïdes oraux sont administrés pendant quelques jours seulement, il se peut que certains enfants présentent les effets indésirables suivants :

- une irritation de l'estomac (il est conseillé d'absorber le médicament avec de la nourriture) ;

- une augmentation de l'appétit ;
- des changements d'humeur ;
- des troubles du sommeil comme de l'insomnie, des cauchemars (il est conseillé de prendre le médicament le matin ou au moment le plus éloigné possible de l'heure du coucher).

Quand les corticostéroïdes oraux sont administrés sans interruption pendant plusieurs semaines ou plusieurs mois, il faut être prudent et surveiller l'apparition d'un ralentissement de la croissance, d'ostéoporose, d'infections plus fréquentes, de diabète, d'hypertension, de cataractes et d'un arrondissement du visage. En général, ces effets indésirables n'apparaissent pas tous chez une même personne et n'ont pas tous la même intensité. Toutefois, il existe des moyens d'atténuer leur influence néfaste.

Si votre enfant prend sans interruption des corticostéroïdes oraux depuis longtemps (plus de sept jours), il ne faut jamais cesser leur emploi subitement sans l'avis de son médecin. En effet, le corps fabrique naturellement une certaine dose de corticostéroïdes (appelés cortisol). Lorsqu'il y a une absorption supplémentaire dans le contexte du traitement de l'asthme, cette production normale cesse. La production du corps a besoin d'un certain temps avant de reprendre si on cesse l'administration des médicaments. Dans ces circonstances, l'arrêt subit des corticostéroïdes oraux peut causer des malaises parfois graves. Si vous voulez cesser le corticostéroïde oral que prend votre enfant depuis longtemps, vous devez ABSOLUMENT en parler à son médecin auparavant. Il faut en diminuer progressivement la dose afin d'éviter d'entraîner des malaises. Le médecin doit aussi suivre votre enfant de près durant cette période de diminution pour intervenir si l'asthme s'aggrave.

Anti-leucotriènes (AL)

Ces médicaments en comprimés sont des anti-inflammatoires mais font partie d'une autre famille de médicaments que les corticostéroïdes. Bien qu'ils puissent être utilisés en tant qu'anti-inflammatoire principal chez les personnes souffrant d'asthme léger, leur emploi commence le plus souvent lorsque l'asthme n'est pas bien maîtrisé malgré l'administration régulière et fidèle de corticostéroïdes inhalés. Leurs principaux avantages sont l'absence d'effets indésirables ainsi que leur facilité d'administration. Toutefois, la réponse à ces médications n'est pas toujours la même. Pour certaines personnes, il y aura une amélioration des symptômes de l'asthme après trois semaines de traitement. Pour d'autres, il n'y aura aucun bénéfice. Le montélukast (*Singulair*®) est le médicament le plus utilisé chez les enfants.

Les bronchodilatateurs

Bronchodilatateurs à courte durée d'action (pompe bleue)

Les bronchodilatateurs servent à ouvrir (ou à dilater) les bronches en décontractant les muscles qui les entourent. Lorsqu'on les inhale, l'effet des bronchodilatateurs à courte durée d'action (BDCA) se fait sentir après seulement quelques minutes. On les utilise pour soulager rapidement les symptômes de l'asthme et on les qualifie souvent de « dépanneurs ». Toutefois, comme leur nom l'indique, leur durée d'action est courte et s'étend sur quatre à six heures. Ils sont prescrits à toutes les personnes asthmatiques pour soulager rapidement une difficulté respiratoire. Comme le précise le *Consensus canadien sur l'asthme*, lorsque leur utilisation excède trois fois par semaine, cela signifie que l'asthme n'est pas maîtrisé et que l'inflammation s'intensifie.

Les BDCA peuvent également être utilisés pour prévenir l'asthme provoqué par l'exercice. Chez ces enfants, le médecin prescrit une dose de bronchodilatateur à prendre 15 minutes avant l'exercice. Selon le *Consensus canadien sur l'asthme,* les doses administrées par prévention avant l'effort physique ne comptent pas dans l'évaluation de la maîtrise de l'asthme (voir le *Tableau des critères de maîtrise de l'asthme* en page 73).

Il existe différentes marques de bronchodilatateurs à courte durée d'action en inhalation et différentes formes d'inhalateurs (appelés dispositifs) sur le marché.

- Aérosol-doseur: *Airomir*®, *Berotec*®, *Ventolin*®, *Apo-Salvent*®, *Ratio-Salbutamol*®.
- Poudre sèche: *Bricanyl*®, *Ventolin*®, *Ventodisk*®.

Lorsqu'ils sont utilisés à doses comparables, ils ont une efficacité et des effets indésirables semblables. Toutefois, il est possible qu'une personne tolère mieux un produit qu'un autre. Le choix du bronchodilatateur et du dispositif se fera en fonction de l'âge de votre enfant et de ses préférences. Vous trouverez au chapitre 4 les techniques d'inhalation selon les différents dispositifs.

Les effets indésirables des bronchodilatateurs à courte durée d'action sont mineurs quand on les prend selon les doses courantes. Ces effets sont habituellement proportionnels à la dose utilisée et les plus fréquents sont:

- une augmentation du rythme cardiaque habituel ;
- de légers tremblements des mains ;
- ils n'entraînent que rarement de la nervosité, de l'insomnie, de l'irritabilité, des maux de tête ou des nausées.

Ces effets sont dérangeants, mais en général ils ne sont pas dangereux.

Bronchodilatateurs à longue durée d'action

Les bronchodilatateurs à longue durée d'action (BDLA) ont fondamentalement le même effet que leurs cousins à courte durée, soit d'ouvrir (ou de dilater) les bronches en décontractant les muscles qui les entourent. Leur action s'étend cependant à une période 12 à 24 heures. Il existe actuellement deux médicaments sur le marché et leurs caractéristiques sont différentes. Ainsi, l'action de l'*Oxeze*® est pratiquement aussi rapide que les bronchodilatateurs à courte action et on peut l'utiliser pour soulager rapidement les symptômes de l'asthme. Son coût est cependant plus élevé que les bronchodilatateurs à courte action, ce qui diminue sa popularité comme « dépanneur ». De son côté, le *Serevent*® a une action plus lente (30 minutes) et ne peut donc pas être utilisé comme dépanneur.

L'aspect le plus intéressant des BDLA est qu'ils semblent bonifier l'action anti-inflammatoire des corticostéroïdes inhalés (CSI). Avec des doses plus faibles de CSI, ils améliorent la maîtrise de la maladie, diminuant le risque d'effets indésirables des CSI. Dans ce contexte, bien que leur action soit similaire à celle des bronchodilatateurs à courte durée d'action, on les considère souvent comme des agents agissant dans le traitement de fond (servant à assurer la maîtrise de l'asthme) plutôt que comme des « dépanneurs ». Pour profiter de leur effet complémentaire avec les CSI, des dispositifs d'inhalation combinant un CSI et BDLA (appelés combinés) sont disponibles sur le marché. On les prescrit le plus souvent 2 fois par jour afin de s'assurer que l'effet du BDLA s'étende sur 24 heures. Il est suggéré d'espacer d'environ 10 à 14 heures la dose du matin de celle du soir pour que le médicament soit toujours actif.

Il existe différentes marques de bronchodilatateurs à longue action en inhalation et différentes formes d'inhalateurs (appelés dispositifs) sur le marché.

- Aérosol-doseur: *Serevent*®.
- Poudre sèche: *Foradil*®, *Oxeze*®, *Serevent*®.

Les marques de médications combinées proposant un corticostéroïde inhalé avec un bronchodilatateur à longue durée d'action dans le même inhalateur et disponibles sur le marché sont les suivants:

- Aérosol-doseur: *Advair*®.
- Poudre sèche: *Advair*®, *Symbicort*®.

Les effets indésirables des bronchodilatateurs à longue durée d'action sont similaires à ceux des bronchodilatateurs à courte durée d'action, mais ils ont tendance à être moins intenses et à diminuer avec une utilisation régulière.

Les médecines alternatives

Jusqu'à présent, AUCUNE approche de médecine alternative n'a démontré son efficacité dans le traitement de l'asthme. Ces approches qui ne sont toujours pas reconnues sont:

- l'acupuncture;
- les vitamines (C et E);
- l'homéopathie;
- les produits naturels (boswellie, éphédra, lierre grimpant);
- la chiropractie.

Ces approches ne peuvent jamais remplacer les traitements courants et reconnus scientifiquement. Si elles ont un effet sur l'asthme, cet effet est beaucoup plus faible que celui des médicaments reconnus. Cependant, il est important de discuter avec votre médecin ou votre professionnel de la santé des médecines alternatives auxquelles votre enfant a recours. Certaines de ces approches ne sont pas sans danger ou effets indésirables. Plusieurs de celles-ci déconseillent l'administration d'un vaccin à votre enfant et c'est là, selon nous, une grave erreur. Par ailleurs, les produits naturels peuvent parfois occasionner une mauvaise réaction à certains médicaments que pourrait prendre votre enfant. Il est préférable de toujours vérifier avec votre pharmacien ou votre médecin si les produits naturels que prend votre enfant sont compatibles avec ses médicaments (que ce soit des médicaments pour l'asthme ou pour toute autre raison).

Les médicaments à éviter dans le traitement de l'asthme

Est-ce que je peux donner un sirop pour la toux à mon enfant?

Les médicaments contre la toux (en sirop ou en comprimés) en vente libre à la pharmacie ne doivent pas être utilisés par les personnes asthmatiques à moins d'avoir l'accord d'un professionnel de la santé.

La toux est un réflexe normal qui permet de dégager les sécrétions respiratoires. Lors des aggravations de l'asthme, les enfants ont davantage de sécrétions. Plusieurs des médicaments contre la toux sont destinés à diminuer le réflexe de la toux; ils peuvent empêcher le dégagement normal des sécrétions et favoriser les complications infectieuses comme les pneumonies. Les médicaments contre la toux ne remplacent jamais les médicaments prescrits pour traiter l'asthme, car ils sont peu efficaces pour réduire la toux causée par un asthme non maîtrisé. Exceptionnellement, et pendant de courtes périodes lors des rhumes ou des grippes, des médicaments contre la toux pourront être prescrits par votre médecin.

Une dernière remarque sur les médicaments

À l'occasion, certains médicaments peuvent agir comme facteur déclenchant chez certains enfants asthmatiques. Cette situation se présente rarement mais il est important de déterminer avec votre médecin si certains médicaments font partie des facteurs déclenchants afin d'être en mesure de les éviter. Il est à noter que ces médicaments ne sont pas des facteurs déclenchants chez toutes les personnes asthmatiques ; il est important de mentionner à votre médecin tous les médicaments que prend votre enfant. Si l'un d'eux se trouve dans la liste qui suit, déterminez avec votre médecin si ce médicament a une influence négative ou non sur l'asthme de votre enfant. Il est très important de ne pas interrompre l'administration d'un médicament qui vous a été prescrit, même s'il fait partie de cette liste, sans en parler d'abord à votre médecin ou votre pharmacien :

- l'*Aspirine*®, (ou AAS) et certains analgésiques anti-inflammatoires (ou AINS), comme par exemple *Advil*®, *Motrin*®, *Naprosyn*®... ;
- les bêta-bloqueurs, utilisés pour traiter principalement la haute pression, les problèmes cardiaques, la prévention des migraines (par exemple *Lopresor*®, *Indéral*®, *Sectral*®).

Chapitre 4

Les outils qui peuvent vous aider à prendre en charge l'asthme de votre enfant

▼

par Sylvie Laporte et Robert L. Thivierge

Vous trouverez dans ce chapitre différents outils qui vous aideront à prendre en charge, au jour le jour, l'asthme de votre enfant. Diverses fiches techniques et exemples de ces outils figurent aux annexes 3A, B, C, D et E, de même qu'aux annexes 4A, B et C.

Les dispositifs d'administration

Pour la plupart des enfants, les médicaments administrés par inhalateur constituent l'essentiel du traitement. Les inhalateurs offrent des avantages importants. La médication est acheminée directement aux bronches, là où elle doit agir. Les quantités nécessaires à la maîtrise de l'asthme sont alors minimes et les effets sur l'ensemble du corps sont faibles par rapport aux effets locaux désirés [1].

Les aérosols-doseurs et les dispositifs de poudre sèche sont les modes d'administration de choix pour leur efficacité, leur coût et pour leur utilisation facile. Leur choix devrait se faire en tenant compte des besoins particuliers de chaque enfant, de son âge, de son habileté motrice et de celle des parents à les utiliser.

---

1. Sheldon Spier et Robert Thivierge. «Asthme pédiatrique: l'heure juste sur l'aérosolthérapie» *Le Clinicien* 1991 6 (4): 93-103.

L'efficacité des inhalateurs dépend en grande partie de la technique utilisée pour les administrer. L'**utilisation inadéquate** des inhalateurs est courante et au moins 50 % des personnes asthmatiques éprouvent des difficultés à effectuer adéquatement la technique d'inhalation[2]. Ainsi, à la suite de la prescription de médicaments inhalés, le médecin, le pédiatre, l'infirmière ou l'inhalothérapeute doivent vous enseigner à bien utiliser les inhalateurs. Les techniques d'inhalation doivent être maîtrisées et vérifiées régulièrement dans le cadre des visites de suivi médical.

De plus, nous vous suggérons de vérifier régulièrement si le dosage du médicament qui vous a été remis correspond à la concentration de médicament prescrit par le médecin. Il faut également en vérifier la date d'expiration. Le dosage et la date d'expiration sont inscrits sur la cartouche de l'aérosol-doseur ou sur le dispositif de poudre sèche.

Dispositifs d'administration des inhalateurs recommandés

Dispositifs	Âge
Les aérosols-doseurs avec dispositif d'espacement	
– Dispositif avec masque (la grandeur du masque peut varier)*	Bébé à 4 ans
– Dispositif avec pièce buccale ou *Ventahaler*®	4 ans et +
Les poudres sèches *Turbuhaler*® ou *Diskus*®	5 ans et + **

* On peut aussi trouver sur le marché un dispositif d'espacement avec un masque de grandeur adulte. Il sera surtout utile pour l'enfant plus âgé s'il est incapable d'utiliser un tube d'espacement avec pièce buccale en raison d'un **manque de coordination ou d'un handicap physique**.

** Bien que les fabricants suggèrent l'usage des poudres sèches à partir de l'âge de 5 ans, en pratique, l'enfant est plutôt capable d'effectuer adéquatement la technique vers l'âge de 7 ou 8 ans.

2. Josée Chagnon, Linda Dupuis et Manon Paquette. *Programme pédiatrique d'enseignement sur l'asthme.* Montréal: Éditions de l'Hôpital Sainte-Justine, 1998.

Pour chaque technique d'inhalation (aérosol-doseurs avec dispositif d'espacement, dispositifs de poudre sèche), la posture de l'enfant est primordiale. L'enfant doit toujours être dans une position assise ou debout. L'expansion pulmonaire est meilleure, ce qui permet à la médication de se déposer profondément dans les bronches et d'augmenter son efficacité.

Les aérosols-doseurs avec dispositif d'espacement

Les aérosols-doseurs sont des propulseurs de doses quantifiées. Comme le médicament est libéré à grande vitesse (autour de 70 km/h), l'usage d'un dispositif d'espacement est particulièrement utile. Il retient les particules du médicament et favorise une inhalation adéquate pour un dépôt maximum dans les bronches[3]. De plus, il réduit les risques d'apparition de muguet (infection fongique) au moment de l'usage des corticostéroïdes inhalés comme le *Flovent*®.

Chez les enfants de moins de 4 ans, le dispositif d'espacement devrait être muni d'un masque. Le masque doit couvrir à la fois le nez et la bouche de l'enfant. Certains enfants ayant la peau sèche et sensible, nous vous recommandons d'essuyer leur visage avec une serviette humide après chaque utilisation de corticostéroïdes inhalés (comme le *Flovent*®).

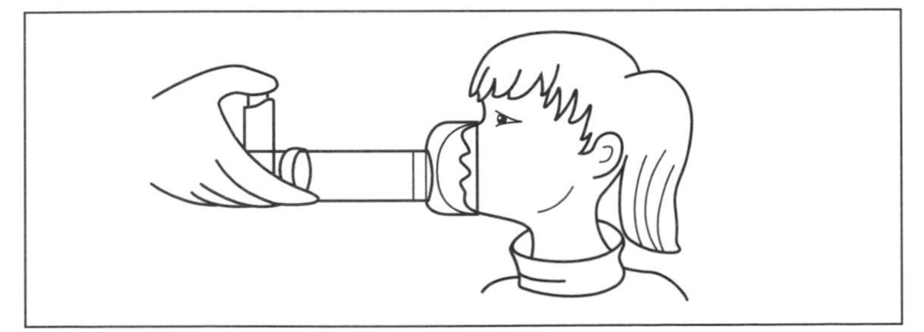

Aérosol-doseur avec diapositif d'espacement et masque

3. Spier et Thivierge. *Op. cit.*

Chaque enfant d'une même famille devrait avoir son propre dispositif d'espacement. C'est une simple question d'hygiène (comme la brosse à dents !) ; cela permet d'éviter toute contamination (rhumes).

Le dispositif d'espacement contient de petites pièces fragiles et détachables. Il est préférable de le ranger avec l'aérosol-doseur (pompe) hors de la portée des enfants, immédiatement après utilisation.

Même si l'enfant pleure, il faut se rappeler qu'il inhale malgré tout le médicament contenu dans le dispositif d'espacement.

Dès qu'il en est capable, soit vers l'âge de 3 ou 4 ans, l'enfant doit utiliser un dispositif d'espacement muni d'une pièce buccale. L'utilisation d'une pièce buccale est préférable au masque, car elle élimine le passage du médicament par le nez, améliore le dépôt dans les bronches et empêche que le médicament se dépose au pourtour de la bouche (ce qui peut se produire avec le masque)[4].

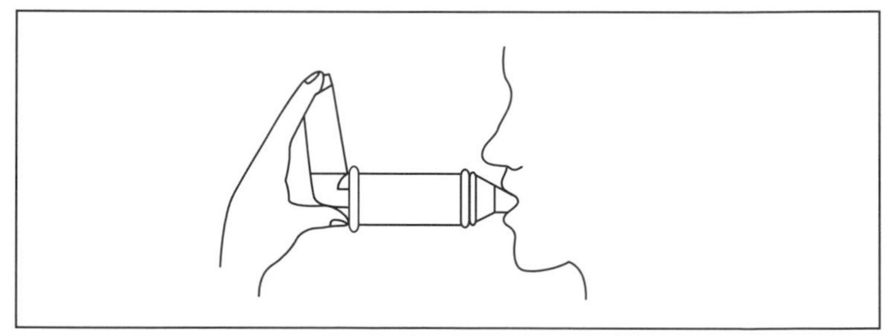

Dispositif d'espacement et d'une pièce buccale.

4. D. Bérubé et al. *Modalités thérapeutiques de la crise d'asthme.* Montréal : Service des publications de l'Hôpital Sainte-Justine, 1996. [Document de travail non publié]

Lorsque le traitement est nouveau, il est normal que l'enfant ne collabore pas très bien. Avec le temps et un peu de pratique, il voudra vous aider !

Attention ! À la maison comme à l'école, l'administration de médicaments en inhalation doit toujours être faite ou supervisée par un adulte jusqu'à ce que l'enfant soit autonome, c'est-à-dire vers l'âge de 10 ans.

- Pour savoir si la cartouche de l'aérosol-doseur est vide, agitez-la près de votre oreille. Vous pourrez ainsi ressentir et entendre le déplacement du gaz à l'intérieur. Si vous n'entendez rien, la cartouche est vide et vous pouvez la jeter. Il n'est pas conseillé de la plonger dans l'eau. Cela pourrait altérer le mécanisme et la médication.
- L'entretien (le nettoyage) des dispositifs d'espacement doit être fait une fois par semaine en suivant les recommandations du fabricant. Toutefois, pour le *Ventahaler*® vous remarquerez qu'il est indiqué sur la fiche technique à l'annexe 3C qu'il faut le laver à l'eau savonneuse et le laisser sécher à l'air libre sans le rincer ni l'essuyer. De cette façon, le savon peut sécher, ce qui forme une pellicule anti-statique dans le dispositif d'espacement. On évite ainsi qu'une certaine quantité de la médication « colle » aux parois.
- Vous trouverez la fiche portant sur la technique d'inhalation des aérosols-doseurs avec dispositif d'espacement ainsi que sur leur entretien aux annexes 3B et 3C.

Quand mon enfant sera-t-il assez grand pour ne plus avoir à utiliser de dispositif d'espacement ?

Idéalement, il devrait toujours utiliser un dispositif d'espacement afin de permettre que le médicament se dépose de la meilleure façon dans les bronches. Si votre enfant est âgé d'au moins 7 ans et que le dispositif d'espacement l'encombre ou l'embarrasse, demandez à votre médecin de vous parler des dispositifs de poudre sèche.

Les poudres sèches

Les médicaments sous forme de poudre sont aspirés par la personne qui les utilise par simple inspiration. Les particules sont si fines qu'elles pénètrent profondément dans les poumons. Il faut tout de même que l'inspiration soit suffisamment forte et profonde pour s'assurer que le médicament se dépose adéquatement. Voici les deux types de poudres sèches :

- le *Turbuhaler*®;
- le *Diskus*®, qui offre les particularités suivantes* :
  - un compteur de doses précis permettant de savoir combien de doses ont été prises dans la journée, ou si le dispositif est vide;
  - le médicament contient du lactose, lui donnant un goût « sucré ».

Les deux dispositifs ont l'avantage d'être efficaces et de se transporter facilement.

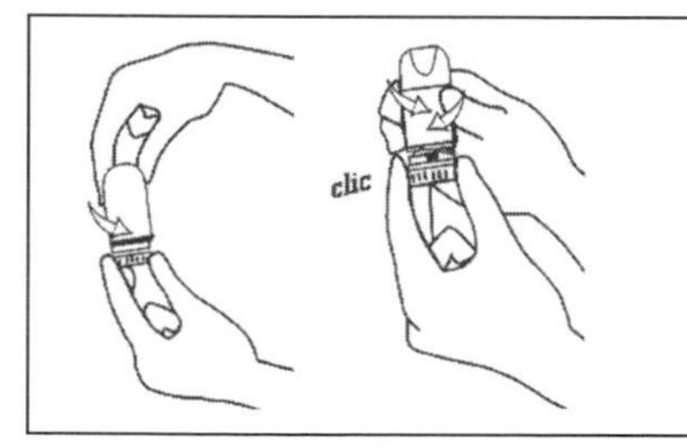

Turbuhaler®

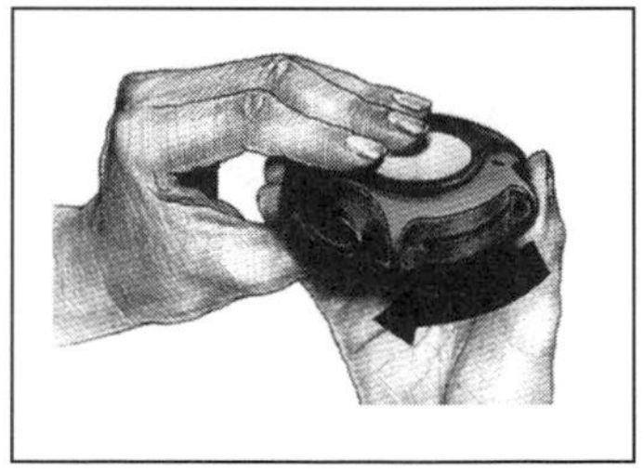
Diskus®

Vous trouverez la fiche portant sur la technique d'inhalation à employer avec les dispositifs de poudre sèche ainsi que sur leur entretien aux annexes 3D et 3E.

* Voir l'annexe 3D pour référence complète.

Le nébuliseur

Le nébuliseur est un petit appareil dans lequel se trouve le médicament liquide qui sera transformé en fines particules respirables à l'aide d'oxygène ou d'un compresseur. Il est toutefois rarement indiqué dans le traitement de l'asthme, et ce à tout âge[5].

Le nébuliseur n'offre pas plus d'avantages que les autres dispositifs. Par contre, parmi les désavantages, soulignons la faible quantité de médicament parvenant aux bronches, la durée plus longue du traitement et les coûts plus élevés. De plus, les doses de médicaments utilisées sont plus importantes comparativement à celles d'un traitement avec les aérosols-doseurs et les poudres sèches.

Comme vous pouvez le constater, plusieurs dispositifs utilisés pour l'inhalation des médicaments sont disponibles sur le marché. Pour s'assurer d'un traitement efficace, il est important que l'enfant ou l'adolescent soit capable d'exécuter correctement la technique d'inhalation et qu'il se sente à l'aise avec son dispositif. C'est pour cette raison qu'on procède à une vérification de la technique d'inhalation à chaque visite médicale ou à chaque visite éducative dans un centre d'enseignement de l'asthme.

Si vous avez des doutes sur la technique d'inhalation, sur l'état du dispositif utilisé ou si vous croyez que le dispositif ne convient plus à votre enfant ou à votre adolescent, parlez-en à votre médecin ou à un professionnel de la santé.

Le plan d'action

Pour s'assurer de la maîtrise de l'asthme, le médecin **doit** suggérer, par écrit, des ajustements de la médication dans le

5. D. Bérubé et G. Rivard. «L'asthme chez l'enfant», In L.P. Boulet (Éd.) *L'asthme: notions de base, éducation, intervention*. Québec: Presses de l'Université Laval, 1997.

cadre d'un plan d'action (voir l'annexe 4A) afin que les parents, puissent réagir lorsqu'il y a aggravation. Ainsi, l'enfant et sa famille sont plus autonomes pour la prise de décision ; cela permet de réduire le nombre de visites médicales ou de visites à l'Urgence, de diminuer le nombre de crises et d'en atténuer la gravité[6].

Le **plan d'action** est donc une prescription médicale comprenant :

- les signes d'aggravation de l'asthme ;
- la médication à ajuster dans ces circonstances ;
- le bon moment pour consulter son médecin ou l'Urgence de l'hôpital.

Par conséquent, il doit être écrit et personnalisé en fonction de chaque personne souffrant d'asthme.

Le plan d'action peut aussi comprendre[7] :

- le diagnostic ;
- les allergies ;
- la liste des médicaments utilisés pour le traitement de l'asthme ou pour toute autre affection ;
- les signes d'aggravation de l'asthme selon les symptômes, les débits expiratoires de pointe ou une combinaison de ces deux facteurs (voir un peu plus loin *L'agenda des symptômes et le débitmètre de pointe*) ;
- la médication actuelle, les modifications à effectuer en cas d'aggravation de l'asthme ;
- certaines mesures préventives (tabac, allergènes, etc.) ;
- les ressources disponibles.

6. L.P. Boulet, M. Bélanger et P. Lajoie. « Characteristics of subjects with a high frequency of emergency visits for asthma. » *American Journal of Emergency Medicine* 1996 14 (7) : 623-628.

7. Extrait de Boulet et al., *Op. cit.*

Vous souvenez-vous des critères correspondant à l'asthme maîtrisé ?

TABLEAU DES CRITÈRES DE MAÎTRISE DE L'ASTHME

Asthme maîtrisé ?	**Oui**	**Non**
	Vie normale, activités physiques régulières	Toux, essoufflement, sifflement, symptômes de rhume
Symptômes le jour	Rares Moins de 4 fois/semaine	Réguliers Plus de 3 fois/semaine
Symptômes la nuit	Aucun	Quelques nuits
Bronchodilatateur	Moins de 4 fois/semaine	Plus de 3 fois/semaine
Activités physiques	Normales	Limitées
Débits expiratoires de pointe	90 à 100 %	60 à 90 %
Quoi faire ?	**Ça va bien !**	**Attention ! Voir le plan d'action !**

Lorsqu'un ou plusieurs critères de maîtrise de l'asthme ne sont plus atteints, cela signifie que l'asthme s'aggrave. Cette détérioration s'observe à certains signes et symptômes propres à l'enfant (la toux, les râles, etc.). Il est donc primordial que l'enfant asthmatique, ses parents et ses proches développent des habiletés à les reconnaître afin d'être en mesure de réagir dès leur apparition par une application précoce du **plan d'action**[8]. Ces signes sont facilement observables si on porte une attention particulière afin de percevoir les changements dans l'état de l'enfant.

Dans les moindres gestes ou dans les activités quotidiennes et selon chaque enfant, on peut remarquer la toux, la respiration sifflante, l'essoufflement (plus qu'à l'habitude) ou certaines autres manifestations de l'asthme. Pour faciliter cette observation, l'agenda des symptômes et le débitmètre de pointe peuvent être utilisés. Les signes et symptômes les plus fréquents de la perte de la maîtrise de l'asthme sont les suivants :

8. CHAGNON, *Op. cit.*

- un sommeil perturbé par la toux ou d'autres symptômes durant la nuit (dès que l'enfant est au lit) ou tôt le matin;
- une toux, un essoufflement ou de la fatigue plus intenses limitant les activités sportives et les activités quotidiennes;
- une augmentation du besoin du bronchodilatateur (ex. *Ventolin*®) à plus de 3 fois par semaine.

L'ajustement de la médication s'appuie sur le fait que l'apparition des symptômes et l'aggravation de l'asthme sont occasionnées par l'augmentation de l'inflammation bronchique et par ses répercussions (voir le chapitre 1, à la page 16). Le traitement repose principalement sur la médication anti-inflammatoire, c'est-à-dire des corticostéroïdes inhalés comme le *Flovent*®. Il n'existe pas de recette universelle pour l'élaboration d'un plan d'action. Celui-ci doit tenir compte des particularités de chaque enfant.

Au moment des visites de suivi médical, le plan d'action est révisé et modifié selon l'évolution de la maladie. Ainsi, si l'état de l'enfant s'améliore à la suite du traitement ou de modifications dans l'environnement (voir le chapitre 2), la dose d'entretien des corticostéroïdes inhalés peut être réduite[9]. Par conséquence, cette dose devra être ajustée lorsqu'une perte de maîtrise surviendra.

En plus d'être à l'affût des signes d'aggravation de l'asthme, il est très utile d'identifier les signes avant-coureurs d'une crise d'asthme, c'est-à-dire de prévoir l'aggravation de l'asthme avant que celle-ci se produise. Pour cela, il faut se poser la question suivante: « Qu'est-ce qui déclenche l'asthme chez mon enfant ? ». Les rhumes, par exemple ? Vous serez en mesure de prévenir ou de diminuer l'intensité des **symptômes d'asthme** en appliquant le plan d'action dès que vous observez des **signes de rhume** (nez qui coule, fièvre, toux, etc.).

9. Hélène BOUTIN et Louis-Philippe BOULET. *Comprendre et maîtriser l'asthme*. Sainte-Foy : Presses de l'Université Laval, 1993.

Il y a une question que tous les parents d'enfants asthmatiques se posent avec inquiétude : « **Quand doit-on aller voir le médecin ?** » ou « **Quand doit-on se rendre à l'hôpital ?** » Voici les signes qui vous indiquent que l'épisode que vous vivez actuellement est assez important pour nécessiter une consultation (voir aussi le chapitre 6, *La prise en charge de l'enfant asthmatique à l'Urgence*).

- Des symptômes fréquents d'une intensité importante.
- Le bronchodilatateur (ex. *Ventolin*®) ne soulage pas pendant quatre heures.
- Des activités quotidiennes limitées par les symptômes.
- Un traitement inefficace.

Que pouvez-vous faire lorsque l'enfant est en difficulté respiratoire (crise) ? (voir aussi le chapitre 6, à la page 114)

- Parlez à l'enfant calmement tout en le rassurant.
- Ne laissez jamais l'enfant seul.
- Faites arrêter toute activité à l'enfant, amenez-le à se détendre et à prendre une position assise en gardant les épaules détendues et abaissées (voir *Les positions de relaxation* au chapitre 3, à la page 70).
- En respirant lentement par la bouche et en lui demandant de suivre votre rythme, vous l'aiderez à maîtriser sa respiration.
- Soulagez l'enfant à l'aide d'un bronchodilatateur en inhalation, respectez le dosage prescrit par le médecin.
- Observez l'évolution de la crise et, si l'enfant n'est pas soulagé après la première dose de médicament, attendez 10 à 15 minutes et, exceptionnellement, redonnez-lui une deuxième dose. **Consultez un médecin**.
- Vous pouvez lui donner un peu d'eau fraîche ou encore une boisson chaude pour apaiser la gorge.

Il va sans dire que le plan d'action et tout ce qu'il implique est exigeant pour vous. Vous devez :

1. Détecter les signes avant-coureurs.
2. Connaître les manifestations de l'asthme propres à l'enfant.
3. Percevoir les signes d'aggravation de l'asthme.
4. Ajuster la médication.
5. Reconnaître le moment où une visite chez le médecin ou à l'Urgence s'impose.

Il requiert en somme que vous ayez une très bonne compréhension de l'asthme et de son traitement. Il vous faudra probablement beaucoup de temps, ponctué d'essais et erreurs, pour vous sentir à l'aise et en confiance dans le cadre de cette prise en charge de l'asthme. Votre médecin et l'éducateur de votre centre d'enseignement de l'asthme sont des personnes ressources qui peuvent vous guider et vous aider à atteindre votre objectif : l'autogestion en vue de la maîtrise de l'asthme.

Pour vous aider, au quotidien, à surveiller les symptômes de votre enfant asthmatique, nous vous proposons deux outils qui vous serviront de journal de bord. Si vous surveillez les symptômes ou les débits expiratoires de pointe de votre enfant chaque jour, vous serez rapidement en mesure de percevoir tout changement pouvant indiquer une perte de la maîtrise de l'asthme.

L'agenda des symptômes *

L'agenda des symptômes est une grille où sont notées, tous les jours selon une échelle de 0 à 3, les différentes manifestations de l'asthme chez l'enfant (la toux, la respiration sifflante, l'essoufflement, etc.) et leur intensité, 0 représentant l'absence de manifestation et 3 l'intensité maximale de la manifestation.

* Voir à l'annexe 4B, à la page 142

L'agenda comprend aussi différentes sections permettant de noter :

- les différents médicaments que l'enfant reçoit : les corticostéroïdes inhalés, les bronchodilatateurs et les autres ;
- les symptômes du rhume ou d'une allergie, donc les déclencheurs ;
- les visites chez le médecin, les visites à l'Urgence, les journées où l'enfant a été forcé de s'absenter de la garderie ou de l'école et, par conséquent, les journées où les parents n'ont pu se rendre au travail.

Lorsque les symptômes sont notés dans l'agenda, il est plus facile pour les parents de suivre leur évolution et de pouvoir apprécier l'efficacité du traitement. Le but de l'exercice est de prendre des notes qui constitueront avec le temps de précieuses informations pour vous aider à agir adéquatement au bon moment. S'il vous apparaît difficile et compliqué de tenir l'agenda, un calendrier bien en vue dans la maison où il est facile de prendre des notes peut très bien faire l'affaire.

Le débitmètre de pointe

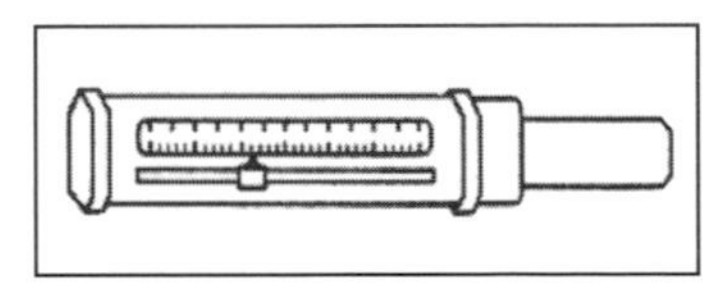

Le débitmètre de pointe (voir l'annexe 4C) est un petit appareil portatif qui permet d'évaluer le degré d'obstruction des bronches en mesurant la vitesse maximale à laquelle la personne asthmatique peut expulser l'air de ses poumons. L'enfant âgé de 6 ans et plus peut utiliser le débitmètre de pointe.

Prendre des mesures au moyen du débit de pointe permet de recueillir cinq types d'informations. On peut ainsi :

- déterminer la meilleure valeur que la personne peut atteindre ;

- obtenir une valeur objective indiquant que l'asthme est maîtrisé, surtout si l'enfant ou les parents perçoivent mal les symptômes;
- vérifier si le traitement est adéquat;
- modifier la médication ou consulter un professionnel immédiatement si les valeurs diminuent sous le niveau établi par le médecin;
- identifier les facteurs déclenchant l'asthme en fonction des variations des valeurs inscrites[10].

Les mesures de débit expiratoire de pointe (DEP) s'effectuent le matin et le soir, de préférence à la même heure chaque jour. Il est recommandé de faire trois essais et de noter le meilleur résultat sur la fiche d'inscription.

En même temps qu'on utilise le débitmètre de pointe, il est important d'inscrire les symptômes de l'enfant afin d'établir des liens entre les éléments observés et les mesures enregistrées[11].

La technique, l'entretien et la fiche d'inscription des mesures de débit expiratoire de pointe sont présentés à l'annexe 4C.

Bien se préparer à la visite médicale

Comme on l'a vu, bien soigner l'asthme requiert un suivi régulier avec le médecin traitant de votre enfant. Au début, quand le diagnostic est posé, les visites sont plus fréquentes afin de bien ajuster le traitement. Par la suite, après quelques mois et quelques années, les visites s'espaceront.

10. Boutin et Boulet, *Op. cit.*
11. Chagnon, *Op. cit.*

Pourquoi est-ce si important d'avoir un médecin de famille ou un pédiatre pour mon enfant ?

Le suivi médical régulier est l'occasion de bien consolider votre approche du traitement global de la condition asthmatique chez votre enfant. On vérifie l'évolution des derniers mois et on planifie une approche solide pour les prochains mois afin d'assurer une maîtrise constante de l'asthme et de prévenir les « crises » à l'aide d'un plan d'action.

Chaque visite médicale est forcément d'une durée limitée ; chaque parent et chaque enfant doit donc profiter au maximum des minutes précieuses dont ils disposent pour faire le point relativement à cinq éléments.

1. Mieux comprendre l'asthme

Chaque visite vous permet d'échanger avec votre médecin ou avec le professionnel de la santé. Vous pouvez donc poser des questions sur certains points particuliers qui ne sont pas clairs pour vous. Il est utile d'avoir un petit calepin que vous gardez à portée de la main avec vos médicaments et qui vous permet de noter des informations et des questions (voir, à ce sujet, les divers encadrés du livre où figurent les questions posées le plus fréquemment par les parents).

2- Bien exprimer ce qui s'est passé depuis la dernière visite

Un agenda des symptômes (voir l'annexe 4B) est un outil très utile pour noter l'évolution quotidienne des symptômes de l'asthme chez votre enfant. En effet, la mémoire étant une faculté qui oublie, inscrire divers points de repères constitue une mesure efficace. Vous pourrez y noter le type de symptômes survenus ainsi que les éventuels événements déclenchants comme les rhumes, les visites chez des gens qui ont des animaux, etc.

3- RÉVISER ENSEMBLE LE PLAN DE TRAITEMENT (CHANGEMENTS EN CE QUI A TRAIT À L'ENVIRONNEMENT, PRISE DES MÉDICAMENTS)

Avec votre médecin, il faut passer en revue tous les aspects du traitement : d'abord ce qui a été fait pour assainir l'environnement : chauffage, humidité, tabac, autres irritants, allergènes spécifiques, etc. Puis, l'administration des médicaments eux-mêmes : de façon continue ou uniquement lors des crises. Apportez toujours tous les médicaments (pompes, comprimés, etc.) qui sont administrés à votre enfant relativement à l'asthme, incluant les médicaments que vous achetez sans prescription au comptoir de la pharmacie. On peut ainsi faire le point sur l'ensemble de la médication et mettre à jour le plan d'action (partie stratégique du traitement, voir la section *Plan d'action* de ce chapitre).

4- VÉRIFIER ENSEMBLE L'ADMINISTRATION DES MÉDICAMENTS PAR INHALATION

Apportez toujours les dispositifs d'inhalation que votre enfant utilise afin que l'on puisse en vérifier l'état et observer l'efficacité de la technique d'inhalation. Les médicaments en inhalation sont dispendieux et il est essentiel de s'assurer de toujours utiliser la bonne technique d'inhalation.

5- RENFORCER ENSEMBLE NOTRE CAPACITÉ À MAÎTRISER L'ASTHME

Chaque visite médicale est un pas de plus vers le progrès de la maîtrise de l'asthme de votre enfant. Profitez-en au maximum. Profitez aussi d'une consultation au centre d'enseignement de l'asthme où vous pourrez rencontrer un professionnel de la santé spécialisé dans la formation relative à la prise en charge afin de structurer votre compréhension et votre intervention dans le traitement de l'asthme de votre enfant. Il existe également des sites Internet très utiles et très fiables (voir les *Ressources*, à la page 149).

Chapitre 5

Apprivoiser l'asthme

▼

par Diane Vadeboncœur

Les chapitres précédents ont notamment démontré l'efficacité des médicaments en ce qui concerne l'asthme. Il n'en demeure pas moins que, même si les médicaments permettent un confort substantiel pour l'enfant, l'asthme, comme « épreuve de la vie [1] », met au défi parents, enfants et adolescents.

Comme pour tout obstacle se présentant sur le chemin de la vie, chacun l'affronte du mieux qu'il peut et les ajustements difficiles entraînent des problématiques plus larges, comme l'angoisse, les conflits interpersonnels ou un encadrement insuffisant.

Permettre à l'enfant et à l'adolescent d'exprimer ses émotions

Tout comme d'autres personnes atteintes d'une maladie chronique, la personne souffrant d'asthme associe à sa condition un ensemble de mythes qui échappent parfois à sa conscience. Chez le jeune enfant, diverses confusions et malentendus se rattachent au concept même de cette maladie. L'enfant connaît

1. A. Auschitzka. *Traverser les épreuves de la vie avec nos enfants*. Paris: Bayard, 2001.

peu de choses sur le fonctionnement du corps et sur son anatomie: sur les poumons, les bronches, le souffle, l'inspiration, l'expiration[2].

L'asthme a pourtant des conséquences évidentes pour l'enfant: essoufflement, toux, etc. De plus, il a un impact sur la relation du parent et de l'enfant, de la petite enfance à l'adolescence[3, 4].

Est-ce que l'asthme est psychologique?

Non, l'asthme n'est pas psychologique. Il s'agit d'une maladie chronique. Si l'asthme se manifeste à la suite d'un stress important dans la vie, c'est parce que la maladie était déjà présente (voir le chapitre 2). La personne asthmatique peut faire une crise d'angoisse et être essoufflée (hyperventiler). Elle pourra croire alors qu'elle traverse une crise d'asthme et devenir plus angoissée encore. Rappelez-vous que tous les asthmatiques ne sont pas angoissés et que tous les angoissés ne sont pas asthmatiques!

Comment l'enfant et l'adolescent asthmatique se perçoit-il? Comment le percevez-vous? Comment son entourage (pairs, famille élargie, etc.) le perçoit-il? Acceptez-vous que votre enfant ne soit pas en parfaite santé? Discutez avec lui. Discutez avec votre conjoint ou votre conjointe. Afin de favoriser son épanouissement, d'améliorer sa qualité de vie et l'équilibre familial, il est essentiel que l'enfant ou l'adolescent arrive à mettre des mots sur ses émotions.

2. C. Eiser et D. Patterson. «Slugs and snails and puppy-dog tails : children's ideas about the inside of their bodies». *Child: Care, Health and Development* 1983 9 : 233-240.

3. A. Bauduin et F. Geubelle. «Mode d'expression chez l'enfant asthmatique». *Revue de neuropsychiatrie infantile* 1969 17 (6/7): 361-371.

4. P. Breton. «Les asthmatiques sont plus affectés par l'anxiété». *La Presse* 3 mai : A4.

Identifiez ses craintes :

- « Et si le médicament ne fonctionne pas, vais-je mourir ? »
- « Et si j'ai oublié ma pompe à la maison, si je suis seul ? »

Identifiez sa colère :

- « Mon frère, lui, n'a rien. Il fallait que ça tombe sur moi ! »

Identifiez ses frustrations :

- « À cause de l'asthme et de mes allergies, je ne peux pas avoir de chat. J'adore les chats ! »

Identifiez vos propres craintes, vos obsessions, votre colère et votre frustration. Il se peut que la responsabilité qui vous incombe soit une source de stress, parfois de culpabilité ; il est certain qu'une crise aiguë suscite de fortes émotions pour tous [5, 6].

Conseils aux parents

Votre enfant, votre adolescent, vos autres enfants et vous-même avez besoin de temps pour apprendre à vivre avec l'asthme et à ne pas adopter une attitude négative. Il se peut que vous vous sentiez submergé par tous les conseils que vous recevez au cours des consultations à l'hôpital ou chez votre médecin. Pour faire en sorte que tous aient l'occasion de s'ajuster, il faut que vous participiez au processus de décision relativement au traitement et à son application en cas de crise aiguë. Vous vous sentirez en sécurité et cela augmentera votre impression de maîtrise. Faites-vous confiance ! L'adaptation se fera progressivement.

5. A. Nouwen et S. Bouchard. « Aspects psychologiques de l'enseignement aux asthmatiques », In L.P. Boulet, *L'asthme : notions de base, éducation, intervention*. Québec : Presses de l'Université Laval, 1997.

6. F. Lefebvre. « Contribution du psychologue au Centre de l'asthme », In *Pratiques de psychologues en pédiatrie*. Paris : Hôpital d'enfants Armand-Trousseau, 2002. (Hommes et perspectives)

Chloé, 5 ans, négocie avec ses parents chaque fois qu'elle passe devant une animalerie où on a installé de beaux chats dans la vitrine. Elle rage parce qu'elle n'accepte pas d'être privée de ce qu'elle « désire le plus au monde ». « À cause de Franck », son frère de 8 ans qui n'est « même pas malade ». « Ce n'est pas juste ! ». Chloé devient de plus en plus boudeuse. L'asthme de Franck est bien maîtrisé par les médicaments. Chloé voit bien qu'il tousse parfois mais sa « maladie » n'est pas évidente.

Finalement, les parents demandent à Franck de raconter l'histoire de Pistache. Il lui montre une photo. « Quand j'avais 3 ans, j'étouffais, j'étais très malade… J'ai appris que je faisais de l'asthme et que j'étais allergique aux chats. Il a fallu donner Pistache. J'ai beaucoup pleuré. » « Et nous aussi, ont ajouté les parents. Nous comprenons que tu aies du chagrin. »

Dorénavant, Chloé veut bien aider son frère à ne pas faire de crise d'asthme. Elle se sent moins triste, parce qu'elle sait que ses parents comprennent sa peine, qu'ils sont reconnaissants pour sa collaboration et qu'ils n'oublient jamais de l'amener voir les chats à l'animalerie.

Selon l'âge de votre enfant, voici quelques éléments à considérer.

0-2 ans Vous craignez parfois pour sa vie. Il ne sait pas qu'il est en danger.

Il ne peut exprimer ses malaises.

Il a besoin de l'aide de l'adulte pour gérer ses émotions. Pour lui, vous êtes la réalité.

Il a besoin de sentir une présence chaleureuse, rassurante.

Il est sensible à l'anxiété d'autrui.

2-6 ans	Son identité s'affirme. Il est en opposition et tolère mal d'être contraint. Il a peur au moment d'une crise, car il se souvient des précédentes. Il commence à mieux réguler et gérer ses émotions, la colère et la peur par exemple. Il parle. Sa compréhension est encore ancrée dans la réalité. Il a besoin d'être rassuré. Vous pouvez commencer à lui inculquer le vocabulaire relatif à ses émotions, favorisant ainsi une intégration de son vécu sur les plans cognitif et affectif (la mentalisation).
6-10 ans	Il a à la fois besoin de vous et un désir de plus en plus grand de se détacher de vous. Il peut comprendre le processus du traitement, acquérir des notions d'anatomie de base donnant un sens à son asthme. L'asthme lui rappelle sa propre vulnérabilité. Il lui arrive de régresser et d'adopter des comportements plus infantiles. Il est de plus en plus conscient des contraintes associées à l'asthme et aux facteurs allergènes. Il aime participer à son traitement. Son sens de l'humour se développe. Le dialogue avec votre enfant est essentiel.
10 ans et plus	Il devient autonome. Il sait que l'asthme est une maladie chronique. Il est conscient des impacts de sa maladie pour lui, pour vous. Il peut parfois préférer ne pas vous parler des signes avant-coureurs d'une crise.

Il peut négliger son traitement dans l'espoir de ne plus en avoir besoin. Ce qui indique qu'il n'accepte pas le caractère chronique de la maladie.

L'anticipation anxieuse peut survenir pendant des périodes de stress.

Il a besoin d'être valorisé quant à ses efforts pour gérer sa condition et d'être encouragé à collaborer complètement avec l'équipe traitante.

Le dialogue avec votre enfant est essentiel.

Vous devez savoir qu'il est apte à vivre sa vie.

Le piège de l'angoisse

Il est possible que l'enfant ou l'adolescent élabore une perception dramatique de sa condition. Selon sa position dans la dynamique familiale, sa personnalité, son degré de développement et ses conditions de vie, la maladie peut inconsciemment lui servir de tremplin pour exprimer ses malaises intérieurs. Il est parfois difficile pour un parent d'accepter l'individualité et l'autonomie d'un enfant souffrant d'une maladie comme l'asthme. Essayez d'analyser vos émotions face à la maladie en général et, plus spécifiquement, à l'état de votre enfant.

Votre enfant ou votre adolescent a peut-être tendance à refouler ses angoisses en étant très rationnel (« Il y a pire que ça ! Au moins je ne suis pas malade tous les jours »), en niant ou banalisant son cas (« L'asthme, ce n'est pas très grave, on ne meurt plus de ça ! L'asthme, c'est très courant. Mon amie aussi fait de l'asthme, etc. »). S'il n'arrive pas à identifier ses émotions, il peut devenir sujet à l'hyperventilation, ce sera une source de confusion pour lui, pour vous et pour toute l'équipe traitante.

Les techniques de relaxation peuvent accroître le bien-être de l'enfant : on doit s'efforcer de les acquérir dans les périodes sans symptômes pour un usage complémentaire à la médication en cas de crise (voir *Les positions de relaxation* à la page 70).

Offrir une collaboration étroite à l'équipe traitante

La prévention devient le but ultime. La collaboration avec l'équipe traitante permet de mettre en évidence le profil des symptômes et les mesures à prendre (enseignement, médication, etc.)[7, 8].

Le médecin, l'infirmière, l'inhalothérapeute, le pharmacien et le psychologue qui vous reçoivent, vous et votre enfant, ont avantage à bien vous connaître. Il convient de discuter ouvertement de la constance dans le traitement (administration des médicaments, mesure du débit respiratoire, etc.) parce qu'il est fréquent qu'il y ait du relâchement étant donné la contrainte que fait vivre l'asthme à l'ensemble de la famille. Chaque famille fait preuve d'une capacité plus ou moins grande à s'organiser. L'identification des problèmes que vous rencontrerez tout comme la reconnaissance de vos efforts et de vos stratégies d'adaptation constituent une partie intégrante des visites médicales de contrôle[9, 10, 11].

L'enfant ou l'adolescent aidera dans la mesure de ses capacités à maîtriser son traitement. L'équipe traitante peut l'aider à identifier les points sur lesquels il doit travailler à la maison.

---

7. Guy FALARDEAU. *Les enfants asthmatiques*. Montréal : Éd. Le Jour, 1989.

8. Manon PAQUETTE et al. *Pulmo-Action : ma mission contre l'asthme*. Montréal : Éditions de l'Hôpital Sainte-Justine. 1996.

9. M.D. KLINNERT et al. « A multimethod assessment of behavioral and emotional adjustment in children with asthma ». *Journal of Pediatric Psychology* 2000 25 : 35-46.

10. E.L. MCQUAID et N. WALDERS. « Pediatric asthma », In M.C. ROBERTS (Ed.) *Handbook of Pediatric Psychology*. New York : Guilford Press, 2003.

11. D.A. MRAZEK. « Asthma, psychiatric considerations, evaluation and management », In E. MIDDLETON (Ed.) *Allergy: principles and practice*. St-Louis : Mosby, 1988.

Quand rien ne va plus

La crise aiguë survient encore malgré toutes les précautions, l'entraînement et une constance exemplaire dans le traitement. Bref, la maladie n'est pas toujours maîtrisée entièrement.

- Les événements stressants se succèdent; l'enfant ou l'adolescent est submergé.
- Il faut se rendre à l'Urgence. Votre enfant est gardé en observation pour quelques heures, une nuit... Vous êtes inquiets.
- Votre enfant s'est exposé à un allergène connu. Votre adolescent néglige son traitement.
- Le dialogue ne passe plus.
- Il a une toux « nerveuse » ou il souffre d'hyperventilation.

Brisez le cercle vicieux qui s'est installé. Parlez à l'équipe traitante. Une consultation en psychologie est recommandée afin d'aider votre enfant à faire le point sur sa situation, à exprimer ses angoisses de manière à ce qu'il soit outillé pour améliorer sa qualité de vie.

Il faut envisager un suivi à long terme, la situation étant plus complexe. Le jeune peut présenter des problèmes connexes (troubles anxieux, personnalité opposante, dépression, etc.) qui nécessitent l'intervention d'une équipe de santé mentale (CLSC, pédopsychiatrie).

En conclusion, l'espoir d'une guérison spontanée est essentiel à certains. Personne ne peut prédire l'avenir. Cependant, une attitude réaliste a de meilleures chances d'apporter un réconfort durable.

À l'âge adulte, votre enfant vous sera reconnaissant de l'avoir aidé à apprivoiser son asthme. Faites-vous confiance ! Croyez en l'aptitude de votre enfant à faire face à sa réalité.

Parlez ouvertement à l'équipe traitante de vos victoires comme de vos difficultés. Le psychologue et les autres membres de l'équipe traitante vous recevront en consultation, écouteront et soutiendront votre enfant, en cas de besoin.

La santé et le bien-être de l'enfant et de l'adolescent asthmatique nous tiennent à cœur.

CHAPITRE 6

LA PRISE EN CHARGE DE L'ENFANT ASTHMATIQUE À L'URGENCE

▼

PAR BARBARA CUMMINS MC MANNUS ET JULIE ROBERT

Comment reconnaître que l'asthme de mon enfant n'est pas maîtrisé?

Plusieurs signes et symptômes peuvent vous indiquer que votre enfant risque de faire une crise d'asthme.

Il vous appartient de découvrir les signes avant-coureurs:

- le début d'un rhume;
- un contact avec un allergène;
- un contact avec la fumée de tabac, etc.

C'est aussi à vous de surveiller les symptômes:

- durant la journée – plus que trois jours par semaine – présence d'une toux (la toux peut être le seul symptôme de l'asthme non maîtrisé), d'un sifflement, de sécrétions, d'essoufflement et d'un serrement au niveau de la poitrine; Ce sont les principales manifestations de l'asthme, mais elles varient beaucoup d'un enfant à l'autre, en fréquence et en intensité;
- présence de manifestations au moins une nuit par semaine;

- les activités physiques sont diminuées en raison de la toux ou de l'essoufflement;
- les débits expiratoires de pointe à moins de 85% de la meilleure valeur.

TABLEAU DES CRITÈRES DE MAÎTRISE DE L'ASTHME

Asthme maîtrisé?	Oui	Non	Pas du tout
	Vie normale Activités physiques régulières	Toux, essoufflement, sifflement, symptômes de rhume	Je n'en peux plus! Respiration rapide Toux continue
Symptômes le jour	Rares Moins de 4 fois/ semaine	Réguliers Plus de 3 fois/ semaine	Fréquents Tous les jours
Symptômes la nuit	Aucun	Quelques nuits	Plusieurs nuits
Bronchodilatateur	Moins de 4 fois/ semaine	Plus de 3 fois/ semaine	Soulagement moins de 3-4 heures
Activités physiques	Normales	Limitées	Très limitées ou impossibles
Débits expiratoires de pointe	90 à 100%	60 à 90%	Moins de 60%
Que faire?	**Ca va bien?**	**Attention!** **Voir le plan d'action**	**Urgence**

Que faire?

- Commencer le plan d'action donné par votre médecin: début ou ajustement de la pompe orange comme le *Flovent*® (voir *Le plan d'action* à la page 93).
- Procéder à une hygiène nasale régulièrement.
- Soulager au besoin les symptômes avec un bronchodilatateur (pompe bleue).

Quand se présenter chez le médecin ou à l'Urgence ?

- Quand il y a une augmentation de la toux (c'est quelquefois le seul symptôme présent) en fréquence et en intensité, un sifflement, des sécrétions, des vomissements provoqués par la toux, de l'essoufflement et des serrements à la poitrine, etc.

  Notez bien que les symptômes et les signes de l'asthme varient beaucoup d'un enfant à un autre, en fréquence et en intensité. Vous connaissez votre enfant, faites confiance à vos observations.

- Quand le soulagement au moyen d'une dose de bronchodilatateur (pompe bleue comme le *Ventolin*®) est efficace moins de 3 à 4 heures.
- Quand les activités physiques sont limitées par les symptômes.
- Quand les débits expiratoires de pointe sont à moins de 60 % de la meilleure valeur.
- Quand la crise augmente en intensité malgré l'utilisation des pompes (la pompe orange et la pompe bleue).
- Quand l'enfant ne présente aucune amélioration malgré le fait qu'il prend un corticostéroïde oral depuis quelques jours en plus de ses pompes.
- Quand l'enfant devient plus fatigué mais ne peut pas s'endormir.
- Quand, à plusieurs reprises, l'enfant vomit des sécrétions suite à une quinte de toux.
- Quand vous notez que votre enfant est amorphe, qu'il a de la difficulté à parler tellement il est essoufflé ou si vous remarquez que ses lèvres ou le bout de ses doigts ont une couleur bleutée.

Si l'état de votre enfant nécessite une visite à l'Urgence, restez calme. Apportez avec vous le dispositif d'espacement et les médicaments que votre enfant reçoit. Pour sa part, l'enfant peut apporter un objet sécurisant, comme une doudou, pour l'aider à rester calme et à diminuer ses pleurs.

À l'arrivée à l'Urgence, que se passe t-il?

À l'arrivée à l'Urgence, la condition respiratoire de votre enfant sera évaluée par l'infirmière au triage. Selon son état, il sera transféré à la salle d'observation où l'infirmière, l'inhalothérapeute ou le médecin le prendra en charge.

L'évaluation respiratoire comprend:

- l'évaluation de l'état général de votre enfant; toux, tirage, couleur, respiration bruyante et sécrétions;
- l'auscultation pour évaluer l'entrée d'air dans les poumons;
- la prise du rythme respiratoire et de la fréquence cardiaque;
- la mesure de la saturation (oxygène dans le sang) qui indique la concentration en oxygène à administrer au besoin.

Quels sont les traitements à recevoir?

- Suite à l'évaluation respiratoire et des signes vitaux de votre enfant (fréquence respiratoire, fréquence cardiaque, saturation en oxygène), l'administration d'oxygène se fera selon ses besoins. Il est possible que votre enfant n'ait pas besoin d'oxygène.
- Une dose de corticostéroïdes oraux (*Prednisone*®, *Décadron*®, par exemple) sera administrée pour réduire l'enflure de la muqueuse des bronches et diminuer la quantité de sécrétions. Si votre enfant a la varicelle, s'il a été en contact avec quelqu'un qui avait la varicelle ou s'il a reçu le vaccin de

la varicelle au cours de la période couvrant les derniers 21 jours, le corticostéroïde oral ne sera pas administré en raison de la possibilité de complications.

- Des traitements de bronchodilatateur (comme le *Ventolin*®) seront ensuite administrés, à des doses et des intervalles relatifs à l'état respiratoire de votre enfant. Le traitement de salbutamol est administré en aérosol doseur à l'aide d'un dispositif d'espacement. La dose est calculée en fonction du poids de l'enfant. C'est pour cette raison que les doses sont supérieures à la dose d'entretien correspondant à deux inhalations ou 200 mcg de salbutamol (pompe bleue comme le *Ventolin*®) aux quatre heures que nous prescrivons pour la maison. La fréquence de l'administration des traitements est également différente. Étant sous surveillance médicale, les traitements sont administrés à toutes les 20 à 30 minutes afin de maîtriser le bronchospasme, **mais cette procédure n'est pas recommandée pour la maison**.
- Selon la réponse aux traitements, le médecin décidera s'il accorde un congé ou si une hospitalisation est requise.
- Il faut prévoir quelques heures avant de savoir si l'enfant peut rentrer à la maison ou s'il doit être hospitalisé.

Pourquoi les traitements de bronchodilatateur (*Ventolin*® et autres) ne sont-ils pas administrés en aérosol humide (nébulisation) ?

Contrairement à ce que plusieurs personnes pensent, le traitement en aérosol-doseur est plus efficace que celui en aérosol humide. Les particules de médicament étant plus fines dans l'aérosol-doseur, elles permettent au médicament de mieux se déposer dans les bronches, devenant par conséquent un traitement plus efficace (voir la section sur les techniques d'inhalation, au chapitre 4).

À l'hôpital, vous donnez beaucoup de bronchodilatateur (pompe bleue). Est-ce que je peux le faire moi-même à la maison?

NON !

Les bronchodilatateurs ont des effets sur le système cardiaque (cœur), sur le système neurologique ainsi que sur le système pulmonaire.

Lorsqu'on augmente la fréquence (à toutes les 20 à 30 minutes) et la quantité (deux à quatre fois plus) d'inhalations de bronchodilatateur (*Ventolin*®, pompe bleue) à votre enfant, nous surveillons étroitement son rythme cardiaque, sa saturation en oxygène, son rythme respiratoire ainsi que l'entrée d'air dans ses poumons.

S'il y a hospitalisation?

S'il y a hospitalisation, votre enfant sera pris en charge par l'équipe traitante de l'unité de soins. D'autres traitements seront administrés en fonction de son état respiratoire. Un congé est à prévoir si l'enfant n'a plus besoin d'oxygène et si les bronchodilatateurs (pompes bleues) peuvent être administrés à toutes les quatre heures.

Une hospitalisation dure en moyenne de deux à trois jours.

Que se passe-t-il lorsque vous quittez l'Urgence?

L'inhalothérapeute (ou un autre professionnel de la santé) donnera une courte séance d'information sur l'asthme, sur la médication, sur le plan de traitement, sur les effets secondaires de la médication et sur la technique d'inhalation et d'entretien du dispositif d'espacement. Au moment de votre départ, il est primordial que vous compreniez bien le traitement à administrer et que la technique d'administration soit adéquate afin d'assurer le rétablissement de votre enfant.

Quelques conseils pour le retour à la maison et le plan de traitement

- **Ne fumez pas** et évitez que votre enfant soit en contact avec la fumée du tabac à la maison et dans la voiture. **Le tabac est l'un des plus grands facteurs déclenchants d'une crise d'asthme.**
- Vous devez poursuivre le traitement tel que prescrit par le médecin même si votre enfant semble aller mieux.
- Ne dépassez pas la dose de médicament prescrite par le médecin.
- Il est important d'entretenir une bonne hygiène nasale pour garder le nez de votre enfant bien dégagé (voir la recette maison et la technique en annexe 3A).
- Le suivi médical est très important afin d'assurer l'évaluation de la condition respiratoire de votre enfant. Prenez rendez-vous avec le médecin traitant de votre enfant au cours du mois suivant la visite à l'urgence.

Est-ce que je dois réveiller mon enfant à intervalles de quatre heures la nuit pour lui administrer son bronchodilatateur (pompe bleue) ?

Si l'enfant ne se réveille pas de lui-même à cause de son asthme ou de la toux, il n'est pas nécessaire de le réveiller. Par contre, si la toux est importante et si vous voulez soulager votre enfant, demandez-lui de s'asseoir dans son lit avant de lui administrer le bronchodilatateur (pompe bleue, ex. *Ventolin*®) afin de s'assurer que le médicament se dépose adéquatement dans les bronches.

La crise devrait disparaître trois à sept jours après la visite à l'Urgence. Vous devriez revenir à l'Urgence ou consulter le médecin ou le pédiatre de votre enfant :

- si l'état de votre enfant vous inquiète ou se détériore ;
- s'il y a, malgré le traitement prescrit, persistance ou augmentation des symptômes de l'asthme : le tirage (dépression thoracique), la toux, le *wheezing* (sifflement) ou si les activités quotidiennes (marche, jeux, course, etc.) sont très diminuées ou devenues impossibles ;
- si le soulagement apporté par le bronchodilatateur (pompe bleue) dure moins de quatre heures.

Nous vous invitons à revoir la section *Quand se présenter chez le médecin ou à l'Urgence ?* à la page 115.

Qu'est-ce que le suivi systématique ?

Le suivi systématique du traitement de l'asthme consiste en la prise en charge de votre enfant à l'hôpital où il sera soigné ainsi qu'une prise en charge à sa sortie. Cela signifie, que votre enfant soit hospitalisé ou non, que le médecin ou le pédiatre de votre enfant sera informé de votre visite à l'Urgence. Vous serez également orienté vers le centre d'enseignement de l'asthme de votre région dans le but de vous offrir une formation afin que vous soyez autonome pour le traitement de la maladie. Cette formation vous permettra :

- de comprendre mieux l'asthme et son traitement ;
- de devenir capable de prévenir les crises en agissant sur les éléments pouvant déclencher l'asthme présents dans l'environnement de l'enfant ;
- de pouvoir maîtriser l'asthme de votre enfant et ainsi améliorer votre qualité de vie tout en diminuant les visites à l'Urgence et les hospitalisations ;
- de vous sentir à l'aise quant à l'application du plan d'action prescrit pour votre enfant.

Conclusion

L'asthme est une condition fréquente durant l'enfance et l'adolescence. À l'aide de cet ouvrage, vous pouvez mettre en place une démarche gagnante afin de maîtriser l'asthme de votre enfant. Bien informé, vous êtes maintenant capable de :

- comprendre ce qu'est l'asthme ;
- assainir l'environnement de la maison ;
- prévenir les épisodes d'asthme ;
- connaître et comprendre les médicaments utilisés pour l'asthme ;
- bien administrer les médicaments par inhalation (technique) ;
- décider de ce qu'il convient de faire quand survient une crise (plan d'action) ;
- assurer un suivi médical régulier pour votre enfant asthmatique ;
- faire appel aux ressources autant communautaires que médicales pour assurer une maîtrise optimale de l'asthme de votre enfant.

Gardez ce guide à portée de la main et consultez-le souvent pour bien consolider vos notions et votre capacité à prendre en charge l'asthme de votre enfant. À long terme, vous serez sur la voie de la réussite.

ANNEXES

ANNEXE 1
TABLEAUX DES POLLENS

RÉGION DE MONTRÉAL

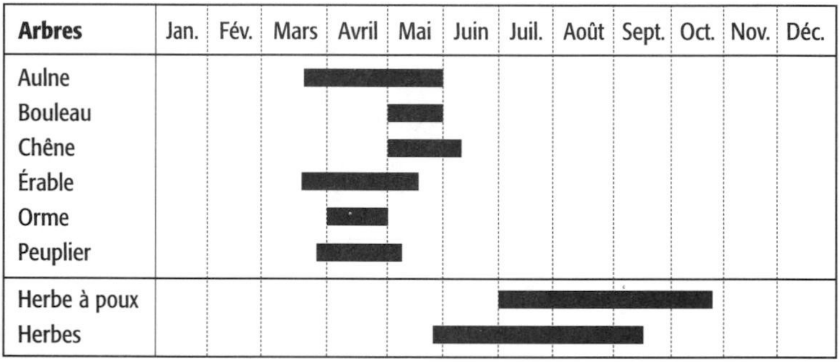

Arbres	Jan.	Fév.	Mars	Avril	Mai	Juin	Juil.	Août	Sept.	Oct.	Nov.	Déc.
Aulne												
Bouleau												
Chêne												
Érable												
Orme												
Peuplier												
Herbe à poux												
Herbes												

RÉGION DE QUÉBEC

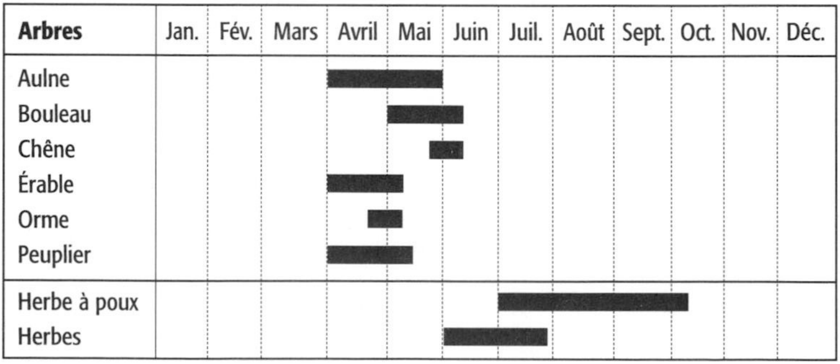

Arbres	Jan.	Fév.	Mars	Avril	Mai	Juin	Juil.	Août	Sept.	Oct.	Nov.	Déc.
Aulne												
Bouleau												
Chêne												
Érable												
Orme												
Peuplier												
Herbe à poux												
Herbes												

Région de Sherbrooke

Arbres	Jan.	Fév.	Mars	Avril	Mai	Juin	Juil.	Août	Sept.	Oct.	Nov.	Déc.
Aulne												
Bouleau												
Chêne												
Érable												
Orme												
Peuplier												
Herbe à poux												
Herbes												

Tableaux reproduits avec l'autorisation de *Aerobiology Research Laboratories*.

Herbe à poux

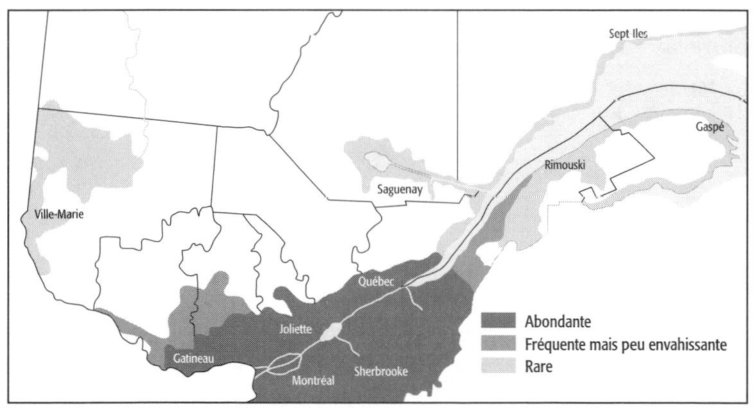

Au Québec, l'herbe à poux (ambroisie) est particulièrement abondante dans la vallée du Saint-Laurent, au sud-ouest du Québec.

ANNEXE 2A
RENSEIGNEMENTS PERSONNELS À REMPLIR PAR LES PARENTS

▼

Photo

RENSEIGNEMENTS PERSONNELS À REMPLIR PAR LES PARENTS

ÉLÈVE

Nom de l'enfant: ______

Âge: ______ Année scolaire: ______

Numéro d'assurance-maladie: ______ Expiration ______

RESPONSABLE

Mère: ______ Père: ______

☎ Mère(maison): ______ ☎ Père (maison): ______

☎ Mère (travail): ______ ☎ Père (travail): ______

Si on ne peut rejoindre les parents, appeler:

Nom: ______ ☎: ______

Frère(s), sœur(s) à la même école: ______ année: ______

Médecin: ______ ☎ : ______

INFORMATION SUR L'ASTHME

Asthme connu depuis l'âge de: ______ans

Allergies connues: ______

______

Symptômes d'asthme propre à l'enfant: ______

______

Facteurs déclenchant: ______

Médication: ______

La médication se situe: ______

RECOMMANDATIONS SPÉCIALES

______

______

______

______

Le :

Sujet : ____

____

____

Madame, Monsieur,

Par la présente, nous attestons que l'enfant ci-haut mentionnée souffre d'asthme.

Il peut utiliser une médication de dépannage (broncho-dilatateur) 10 à 15 minutes avant de faire un exercice physique ou au besoin.

En espérant que ces renseignements vous seront utiles.

______________________________ md

Annexe 2b

Présentation du programme de soutien à la cessation tabagique du CHU Sainte-Justine

▼

Au CHU Sainte-Justine, un programme de soutien à la cessation tabagique a été mis sur pied pour venir en aide aux jeunes patients qui commencent à fumer et à tous les parents fumeurs des enfants suivis ou hospitalisés. Le programme sera déployé progressivement dans tous les départements.

Nous souhaitons identifier les non fumeurs, les féliciter de leur choix et les encourager à rester non fumeurs. Nous voulons les sensibiliser aux risques de la fumée secondaire et les encourager à toujours éviter d'y être exposés.

Nous proposons aux fumeurs de fumer dehors (ni dans la maison, ni dans l'auto) afin de ne pas exposer les non fumeurs à la fumée secondaire et d'entreprendre une réflexion sur la cessation tabagique.

Les fumeurs prêts à arrêter de fumer sont soutenus dans la démarche : soutien par des rencontres, appels téléphoniques et lettres de motivation. Une thérapie de remplacement de la nicotine sera proposée aux fumeurs qui le désirent.

Nous espérons par ce programme contribuer à la promotion de la santé de tous les Québécois et bâtir ensemble « un monde sans fumée ». Pour plus de renseignements, voir la section *Ressources* à la page 153.

ANNEXE 3A
HYGIÈNE NASALE

ENFANT DE MOINS DE 2 ANS OU INCAPABLE DE SE MOUCHER EFFICACEMENT

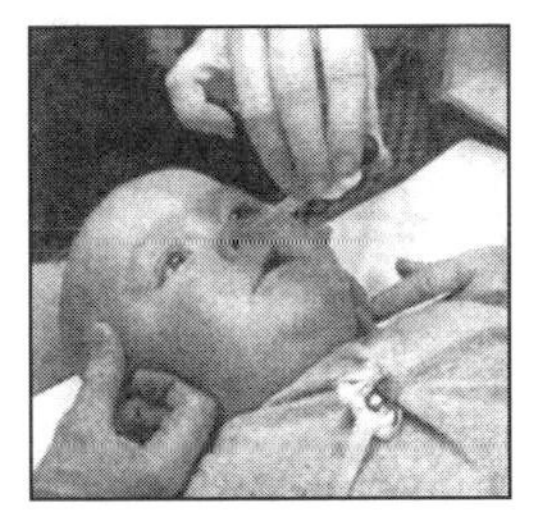

1. Coucher l'enfant sur le dos, tête droite.
2. Appliquer 1 compte-gouttes plein (1cc) par narine.
3. Nettoyer l'intérieur des narines avec un coton tige.
4. Appliquer à nouveau 1 compte-gouttes plein (1cc) par narine.
5. Chez l'enfant de plus de 2 ans : asseoir l'enfant tête légèrement penchée vers l'avant et tenter de faire moucher une narine à la fois.
6. Chez les enfants souffrant d'otite, de rhinite et de sinusite, cette technique est recommandée au minimum une fois par jour.

N.B. *Lors d'un rhume, refaire la procédure 3 à 4 fois par jour.*

ENFANT INCAPABLE DE SE MOUCHER EFFICACEMENT

1. Asseoir l'enfant sur une chaise, tête droite et lui demander de vous regarder dans les yeux (pour éviter que l'enfant ne fronce le nez).
2. Appliquer 5 vaporisations par narine et faire moucher l'enfant tête légèrement penchée vers l'avant.
3. En présence de sécrétions nasales, répéter le cycle de 5 vaporisations par narine jusqu'à ce que l'enfant n'ait plus de sécrétions (flot d'air).
4. Au besoin, nettoyer l'intérieur des narines avec un coton tige.
   Chez l'enfant souffrant d'otite, de rhinite et de sinusite, cette technique est recommandée au minimum une fois par jour.

N.B. *Lors d'un rhume, refaire la procédure 3 à 4 fois par jour.*

Recette d'eau salée pour hygiène nasale

1. Chaque semaine, faire bouillir 2 tasses d'eau pendant 10 minutes.
2. Ajouter 1 cuillerée à thé rase de sel fin. Bien agiter pour dissoudre le sel.
3. Nettoyer une fois par semaine votre petite bouteille de solution saline vide, au lave-vaisselle ou à la main, à l'eau chaude savonneuse et bien rincer.
4. Verser la quantité requise d'eau salée pour remplir la petite bouteille.
5. Vous pouvez conserver le reste de la solution préparée dans un contenant propre et fermé au réfrigérateur pendant un maximum de 7 jours. Cette solution sert à faire le remplissage de la petite bouteille de solution saline au cours de la semaine.

N.B. *Garder la petite bouteille à la température de la pièce afin d'éviter d'appliquer de l'eau froide dans le nez de l'enfant.*

Une gracieuseté de Pro Visuæl inc., en collaboration avec Marie-Joëlle Lévesque, infirmière bachelière.

ANNEXE 3B

TECHNIQUE D'INHALATION – AÉROSOL-DOSEUR ET DISPOSITIF D'ESPACEMENT AVEC MASQUE

▼

Attention : Nettoyer le dispositif d'espacement avant la première utilisation (voir ENTRETIEN)

Position assise ou debout, tête droite. L'enfant est éveillé.

1. S'assurer que la cartouche est bien insérée dans l'aérosol-doseur (pompe), retirer le capuchon.
2. Agiter énergiquement l'aérosol-doseur (pompe) pendant 10 secondes entre chaque inhalation.
3. Insérer l'embout de l'aérosol-doseur (pompe) dans l'adaptateur situé à l'extrémité ouverte du dispositif d'espacement.
4. Appliquer de façon étanche le masque sur le nez et la bouche de l'enfant, sans trop appuyer.
5. Déclencher l'aérosol-doseur (pompe) en appuyant FERMEMENT UNE FOIS sur la cartouche afin qu'une dose de médicament soit vaporisée dans le dispositif d'espacement.
6. Tenir le masque en place durant 6 respirations. Surveiller la ou les valves. Chaque respiration doit faire bouger la ou les valves.
7. Répéter les étapes 2 à 6 pour chacune des inhalations prescrites.
   Attendre 30 secondes entre chacune d'elles.
8. Retirer l'aérosol-doseur (pompe) du dispositif d'espacement et remettre le capuchon protecteur après utilisation.

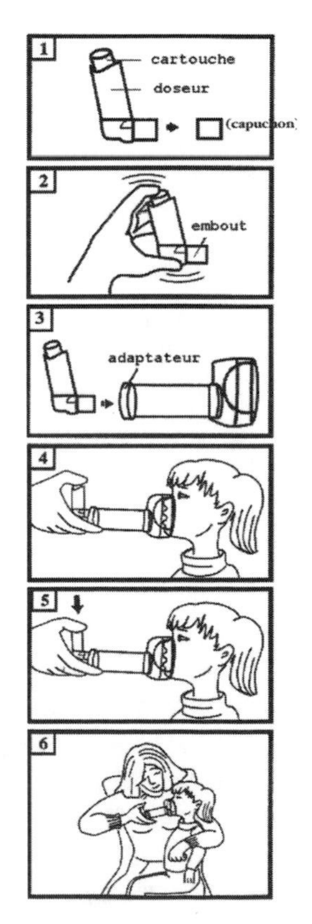

9. Une hygiène buccale soignée est recommandée suite à l'inhalation de corticostéroïdes (ex. *Flovent*®, etc.). Bien rincer la bouche. Pour un très jeune enfant, le faire boire sera aussi profitable. Associer le brossage des dents à l'inhalation de ces médicaments.

   Ces mesures réduisent les risques de développer du muguet (plaques blanches dans la bouche).

ENTRETIEN

10. Nettoyer le masque et le dispositif d'espacement avant la première utilisation et ensuite une fois par semaine si utilisé.
11. S'assurer que le dispositif d'espacement est complètement sec avant de l'utiliser.
12. Enlever l'adaptateur et le masque du dispositif d'espacement. Laisser tremper 15 minutes dans de l'eau tiède et savonneuse. NE PAS rincer sauf sur avis contraire du fabricant. Secouer et déposer les pièces à plat sur une surface propre pour les laisser sécher à l'air libre.
13. Attention, éviter de toucher aux valves. Elle doivent demeurer souples et fermées.

PARTICULARITÉS

- L'utilisation d'un dispositif d'espacement permet à une plus grande quantité de médicament de se déposer dans les voies respiratoires.
- Se rappeler que même si l'enfant pleure ou tousse, il inhale malgré tout le médicament contenu dans le dispositif d'espacement, en autant que le masque soit appliqué de façon étanche.
- Nettoyer l'embout de l'aérosol-doseur (pompe) régulièrement avec un chiffon sec.
- Conserver le dispositif d'espacement dans un endroit sec.
- Pour savoir si la cartouche de l'aérosol-doseur (pompe) est vide, agitez-la près de l'oreille. Si vous n'avez pas la sensation de mouvement ou de bruit à l'oreille, cela indique qu'elle est presque vide.
- Vérifier la date d'expiration inscrite sur la cartouche de l'aérosol-doseur (pompe), la remplacer si expirée.
- Ne pas exposer l'aérosol-doseur (pompe) à la chaleur ou au froid et ne pas mettre la cartouche dans l'eau, car son fonctionnement peut en être affecté.
- Bien vérifier la présence des valves situées près du masque. Si l'une de ces valves est absente, vous devez vous procurer un nouveau dispositif.

- Chaque enfant d'une même famille devrait avoir son propre dispositif d'espacement.
- Le dispositif d'espacement peut être remplacé à chaque année ou après deux ans selon son utilisation et les recommandations du fabricant.

POUR PLUS D'INFORMATION

Centre d'enseignement de l'asthme (CEA) du CHU Sainte-Justine.

Annexe 3c

Technique d'inhalation – Aérosol-doseur et dispositif d'espacement avec pièce buccale

Attention : Nettoyer le dispositif d'espacement avant la première utilisation (voir ENTRETIEN)

Position assise ou debout, tête droite.

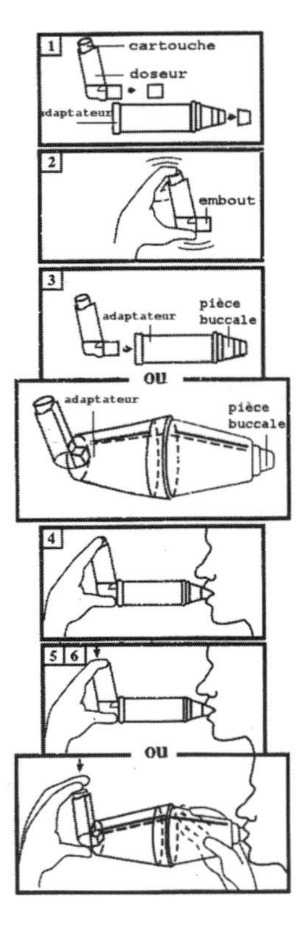

1. S'assurer que la cartouche est bien insérée dans l'aérosol-doseur (pompe), retirer au besoin le capuchon de celui-ci et du dispositif d'espacement.
2. Agiter énergiquement l'aérosol-doseur (pompe) pendant 10 secondes entre chaque inhalation.
3. Insérer l'embout de l'aérosol-doseur (pompe) dans l'adaptateur situé à l'extrémité ouverte du dispositif d'espacement.
4. Introduire la pièce buccale du dispositif d'espacement dans la bouche puis bien fermer les lèvres autour de l'embout.

   Ne pas couvrir les fentes d'aération situées de chaque côté.

   Ne pas placer la langue devant l'ouverture de la pièce buccale.
5. Déclencher l'aérosol-doseur (pompe) en appuyant FERMEMENT UNE FOIS sur la cartouche, afin qu'une dose de médicament soit vaporisée dans le dispositif d'espacement.
6. Inspirer et expirer lentement 5 à 6 fois par la bouche seulement.

   À chaque respiration vous devez entendre le bruit du clapet ou voir bouger la valve.

   Si votre disposotif est muni d'un sifflet, vous ne devez pas l'entendre.

7. Répéter les étapes 2 à 6 pour chacune des inhalations prescrites.
   Attendre 30 secondes entre chacune d'elles.
8. Retirer l'aérosol-doseur (pompe) du dispositif d'espacement et remettre les capuchons protecteurs après utilisation.
9. Une hygiène buccale soignée est recommandée suite à l'inhalation des corticostéroïdes (Ex.: *Flovent*®, etc.). Se rincer la bouche, boire de l'eau ou encore associer le brossage des dents à l'inhalation de ces médicaments sera profitable.
   Ces mesures réduisent les risques de développer du muguet (plaques blanches dans la bouche).

ENTRETIEN

10. Nettoyer le dispositif d'espacement avant la première utilisation et ensuite une fois par semaine si utilisé.
11. S'assurer que le dispositif soit complètement sec avant de l'utiliser.

Dispositif d'espacement

12. Enlever l'adaptateur du dispositif. Laisser tremper les pièces du dispositif d'espacement 15 minutes dans de l'eau tiède et savonneuse. NE PAS rincer sauf sur avis contraire du fabricant. Secouer et déposer à plat sur une surface propre pour les laisser sécher à l'air libre. Éviter de toucher les valves.

Ventahaler®

12. Séparer les deux parties du *Ventahaler*®, les laver à l'eau tiède savonneuse sans rincer. Secouer et déposer à plat sur une surface propre pour les laisser sécher à l'air libre. Toujours s'assurer que la valve est fonctionnelle.

PARTICULARITÉS

- L'utilisation d'un dispositif d'espacement permet à une plus grande quantité de médicament de se déposer dans les voies respiratoires.
- Nettoyer l'embout de l'aérosol-doseur (pompe) régulièrement avec un chiffon sec.
- Pour savoir si la cartouche de l'aérosol-doseur (pompe) est vide, l'agiter près de l'oreille. Si vous n'avez pas la sensation de mouvement ou de bruit à l'oreille, cela indique qu'elle est presque vide.
- Vérifier la date d'expiration inscrite sur la cartouche de l'aérosol-doseur, la remplacer si expirée.
- Ne pas exposer l'aérosol-doseur (pompe) à la chaleur ou au froid et ne pas mettre la cartouche dans l'eau, car son fonctionnement peut en être affecté.

- Chaque enfant d'une même famille devrait avoir son propre dispositif d'espacement.
- Le dispositif d'espacement peut être remplacé une fois par un ou deux ans selon son utilisation et les recommandations du fabricant.

POUR PLUS D'INFORMATION

Centre d'enseignement de l'asthme (CEA) du CHU Sainte-Justine.

ANNEXE 3D
TECHNIQUE D'INHALATION DISKUS®

Position assise ou debout, tête droite.

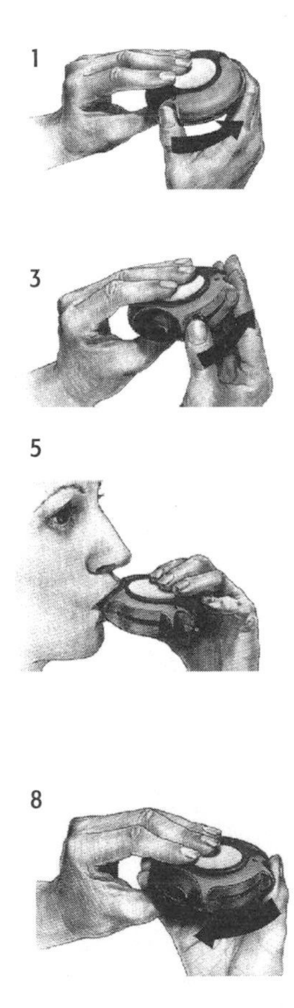

1. Tenir le boîtier extérieur du Diskus® dans une main et placez le pouce de l'autre main sur le cran prévu à cet effet.
2. Déplacer le pouce le plus loin possible vers l'arrière jusqu'à ce que l'on entende un clic.
3. Pousser le levier vers l'arrière jusqu'à ce que l'on entende un deuxième clic. Éviter de laisser tomber le Diskus® après son chargement et éviter de souffler dans le dispositif car la dose sera perdue. Si cela se produit, fermer le Diskus® et reprendre les étapes du début.
4. Tenir l'inhalateur Diskus® loin de la bouche et expirer profondément.
5. Placer l'embout buccal entre les lèvres.
6. Inspirer par la bouche rapidement et le plus profondément possible.
7. Éloigner le Diskus® de la bouche, retenir sa respiration 10 secondes puis expirer lentement.
8. Après l'utilisation, placer le pouce sur le cran prévu à cet effet et le ramener vers soi jusqu'à ce que l'on entende le clic. Le levier s'est automatiquement réenclenché et est prêt pour la prochaine utilisation.
9. Pour chacune des inhalations prescrites, répéter les étapes 1à 8.

10. Une hygiène buccale soignée est recommandée suite à l'inhalation des corticostéroïdes (ex. *Flovent*®, *Advair*®). Se rincer la bouche, boire de l'eau ou encore associer le brossage des dents à l'inhalation de ces médicaments sera profitable.

    Ces mesures réduisent les risques de développer du muguet (plaques blanches dans la bouche).

ENTRETIEN

11. Essuyer régulièrement l'embout buccal du Diskus® avec un linge sec.
12. Vérifier s'il y a obstruction de l'ouverture.

PARTICULARITÉS

Vérifier le nombre de doses restantes apparaissant sur le levier du Diskus®. Les cinq dernières doses apparaissent en rouge.

Vérifier la date d'expiration inscrite sur le Diskus®, le remplacer si expiré.

Conserver le dispositif d'inhalation Diskus® bien au sec et le garder fermé lorsque vous ne l'utilisez pas.

POUR PLUS D'INFORMATION

Centre d'enseignement de l'asthme (CEA) du CHU Sainte-Justine.

Annexe 3E
Technique d'inhalation Turbuhaler®

▼

Attention : Nettoyer le dispositif d'espacement avant la première utilisation (voir ENTRETIEN)

Position assise ou debout, tête droite.

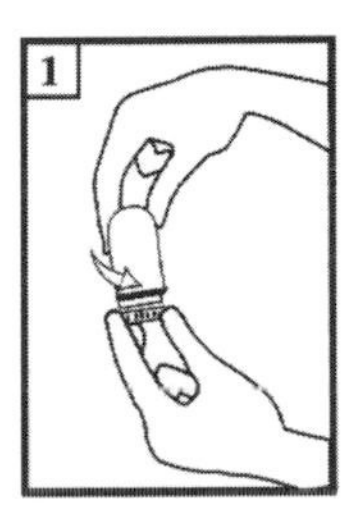

1. Retirer le couvercle du *Turbuhaler®* en le dévissant.
2. TOUJOURS tenir le *Turbuhaler®* en position verticale avant l'utilisation.
3. Tourner la molette de couleur vers la droite, puis ramener celle-ci vers la gauche pour entendre le clic.

   Éviter de laisser tomber le *Turbuhaler®* après son chargement et éviter de souffler dans le dispositif, car la dose sera perdue.

   Si cela se produit, reprendre les étapes du début.

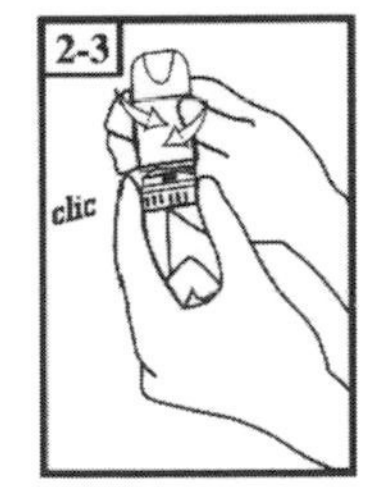

4. Expirer à fond loin du dispositif.
5. Placer l'embout du dispositif entre les lèvres. Inspirer par la bouche rapidement, le plus profondément possible et garder la respiration pendant 10 secondes.
6. Éloigner le *Turbuhaler®*, de la bouche.
7. Pour chacune des inhalations prescrites, répéter les étapes 2 à 5.
8. Remettre et bien fermer le couvercle protecteur après utilisation.

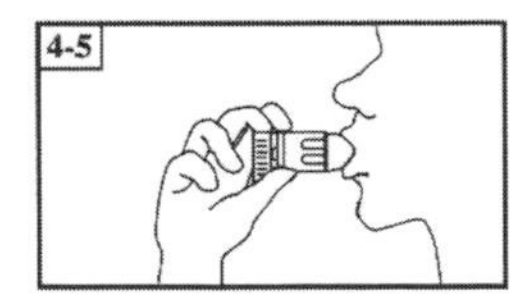

9. Une hygiène buccale soignée est recommandée suite à l'inhalation des corticostéroïdes (Ex.: *Pulmicort®*, *Symbicort®*). Se rincer la bouche, boire de l'eau ou encore associer le brossage des dents à l'inhalation de ces médicaments sera profitable. Ces mesures réduisent les risques de développer du muguet (plaques blanches dans la bouche).

ENTRETIEN

9. **Ne pas laver** le *Turbuhaler*®. Essuyer avec un linge sec toute accumulation de poudre dans l'embout.
10. Conserver dans un endroit sec.

PARTICULARITÉS

- Replacer toujours le couvercle après l'utilisation du *Turbuhaler*® afin de protéger le contenu médicamenteux de l'humidité.
- Vérifier la date d'expiration du médicament contenu dans le *Turbuhaler*®.
- Vérifier le contenu à l'aide de l'indicateur rouge ou du compte-dose qui apparaissent à la fenêtre repère située sous l'embout buccal.
  - Lorsque l'indicateur rouge apparaît au bord supérieur de la fenêtre, il reste environ 20 doses dans le *Turbuhaler*®. Prévoyez vous en procurer un nouveau.
  - Lorsque l'indicateur rouge apparaît au bord inférieur de la fenêtre, le *Turbuhaler*® est vide et doit être jeté.
  - Lorsque le chiffre 0 du compte-dose apparaît au centre de la fenêtre, le *Turbuhaler*® est vide et doit être jeté.
- Lorsque vous agitez le *Turbuhaler*®, vous pouvez entendre un bruit qui n'est pas causé par la quantité de médicaments, mais par un sachet de conservation se trouvant à l'intérieur. Il empêche la poudre médicamenteuse d'être altérée par l'humidité. Donc ne pas s'y fier pour vérifier la quantité.
- Vous pouvez ne pas goûter le médicament ni en ressentir le contact lorsque vous inhalez avec le *Turbuhaler*®. Même en l'absence de ces sensations, le médicament est présent et exerce son action.

POUR PLUS D'INFORMATION

Centre d'enseignement de l'asthme (CEA) du CHU Sainte-Justine.

ANNEXE 4A
PLAN D'ACTION

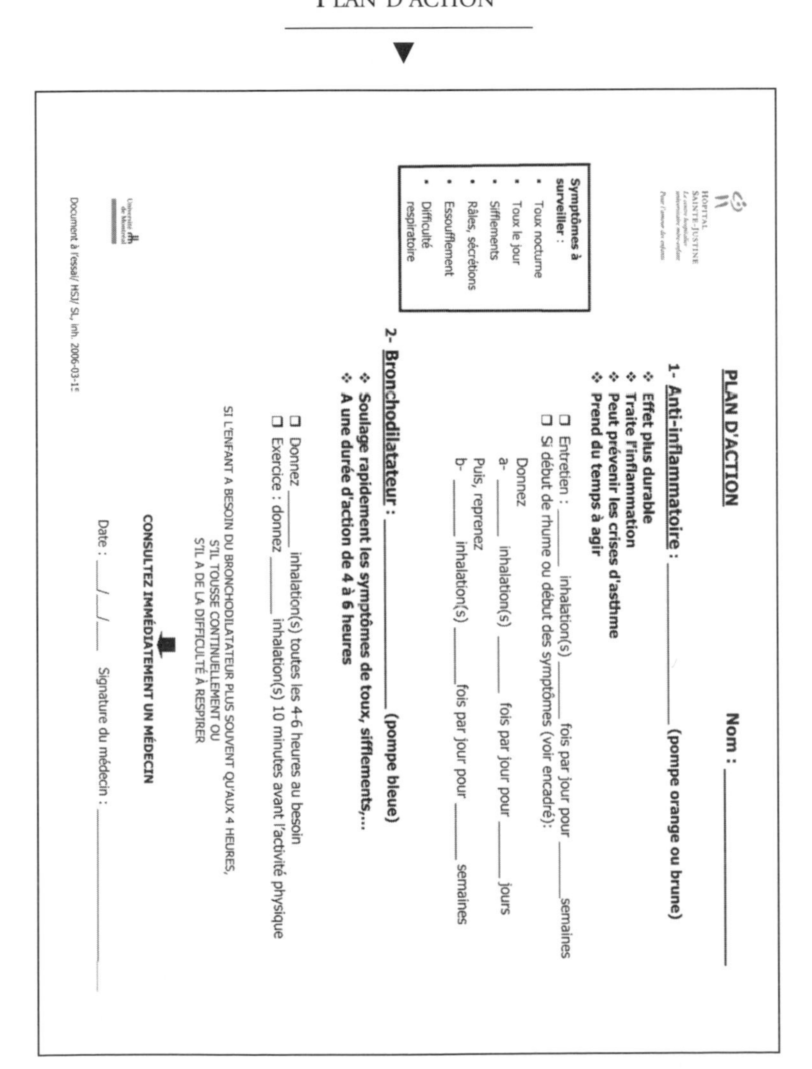

HÔPITAL SAINTE-JUSTINE
Le centre hospitalier universitaire mère-enfant
Pour l'amour des enfants

PLAN D'ACTION **Nom :** ____________

1- Anti-inflammatoire : ____________ **(pompe orange ou brune)**

- **Effet plus durable**
- **Traite l'inflammation**
- **Peut prévenir les crises d'asthme**
- **Prend du temps à agir**

❒ Entretien : _______ inhalation(s) _______ fois par jour pour _______ semaines
❒ Si début de rhume ou début des symptômes (voir encadré):

Donnez
a- _______ inhalation(s) _______ fois par jour pour _______ jours

Puis, reprenez
b- _______ inhalation(s) _______ fois par jour pour _______ semaines

Symptômes à surveiller :

- Toux nocturne
- Toux le jour
- Sifflements
- Râles, sécrétions
- Essoufflement
- Difficulté respiratoire

2- Bronchodilatateur : ____________ **(pompe bleue)**

- **Soulage rapidement les symptômes de toux, sifflements,...**
- **A une durée d'action de 4 à 6 heures**

❒ Donnez _______ inhalation(s) toutes les 4-6 heures au besoin
❒ Exercice : donnez _______ inhalation(s) 10 minutes avant l'activité physique

SI L'ENFANT A BESOIN DU BRONCHODILATATEUR PLUS SOUVENT QU'AUX 4 HEURES,
S'IL TOUSSE CONTINUELLEMENT OU
S'IL A DE LA DIFFICULTÉ À RESPIRER

CONSULTEZ IMMÉDIATEMENT UN MÉDECIN

Date : ___/___/___ Signature du médecin : ____________

Université de Montréal

Document à l'essai/ HSJ/ SL, inh. 2006-03-15

Annexe 4b

Agenda des signes et symptômes de l'enfant asthmatique

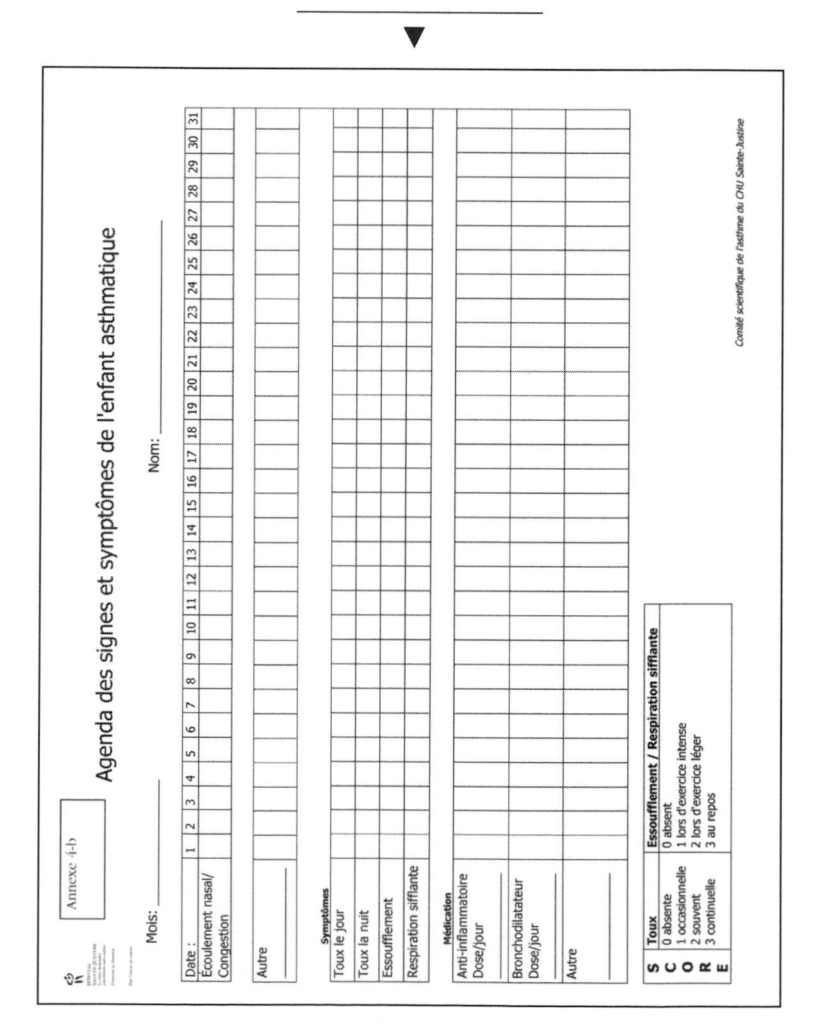

Annexe 4-b

Agenda des signes et symptômes de l'enfant asthmatique

Mois: ______________ Nom: ______________________

Date :	1	2	3	4	5	6	7	8	9	10	11	12	13	14	15	16	17	18	19	20	21	22	23	24	25	26	27	28	29	30	31
Écoulement nasal/ Congestion																															
Autre ______																															
Symptômes																															
Toux le jour																															
Toux la nuit																															
Essoufflement																															
Respiration sifflante																															
Médication																															
Anti-inflammatoire Dose/jour ______																															
Bronchodilatateur Dose/jour ______																															
Autre ______																															

SCORE	Toux	Essoufflement / Respiration sifflante
	0 absente	0 absent
	1 occasionnelle	1 lors d'exercice intense
	2 souvent	2 lors d'exercice léger
	3 continuelle	3 au repos

Comité scientifique de l'asthme du CHU Sainte-Justine

Annexe 4c

Mesure des débits expiratoires de pointe (DEP) à l'aide du débitmètre de pointe

Le débitmètre de pointe est un petit appareil portatif qui permet de mesurer le degré d'ouverture et de fermeture des bronches. On peut obtenir une mesure objective du degré d'obstruction des bronches en mesurant la vitesse maximale à laquelle on peut expulser l'air des poumons. La mesure est calculée en litre d'air par minute.

TECHNIQUE D'UTILISATION DU DÉBITMÈTRE

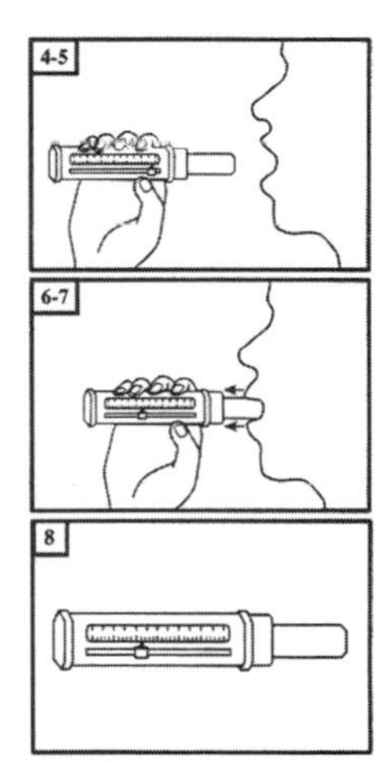

1. **Se placer en position debout, bien droit, le menton relevé.**
2. Insérer la pièce buccale dans le débitmètre.
3. Vérifier si l'aiguille indicatrice est bien à zéro.
4. Tenir l'appareil d'une main en position horizontale, sans nuire au mouvement de l'aiguille.
5. **Prendre une inspiration profonde** (remplir les poumons au maximum).
6. Introduire la pièce buccale du débitmètre dans la bouche puis bien fermer les lèvres autour de l'embout.
7. **Expirer aussi fort et rapidement que possible** (en un bref mouvement).
8. Lire le chiffre correspondant au niveau atteint sur la règle du débitmètre, puis replacer l'aiguille indicatrice à zéro.
9. À chaque utilisation du débitmètre, faire trois essais et inscrire le meilleur résultat sur la fiche d'inscription.
   - Faire les mesures le matin (au réveil) et le soir (au coucher), avant le traitement médicamenteux.
   - S'il y a lieu, effectuer des mesures plus régulièrement lors de la présence de symptômes incommodants, lorsque le sommeil est perturbé par des symptômes de l'asthme ou selon les recommandations du médecin.

- Inscrire le résultat sur la fiche et l'identifier par un point sur le graphique, (bleu le matin et rouge le soir). Joindre les points entre eux par une ligne de même couleur.

ENTRETIEN

10. Nettoyer le débitmètre une fois par semaine et la pièce buccale au besoin.
11. Faire tremper le débitmètre 30 minutes dans de l'eau savonneuse tiède, le rincer à l'eau tiède, l'égoutter et le déposer sur une surface propre pour le laisser sécher à l'air libre.

FICHE D'INSCRIPTION DE MESURE DES DÉBITS EXPIRATOIRES DE POINTE

Mois :

Date	1	2	3	4	5	6	7	8	9	10	11	12	13	14	15	16	17	18	19	20	21	22	23	24	25	26	27	28	29	30	31
Costicostéroïdes Nombre de dose/Jr																															
Bronchodilatateurs Nombre de dose/Jr																															
Mesure DEP : *BLEU AM*																															
ROUGE PM																															
600																															
575																															
550																															
525																															
500																															
475																															
450																															
425																															
400																															
375																															
350																															
325																															
300																															
275																															
250																															
225																															
200																															
190																															
180																															
170																															
160																															
150																															
140																															
SYMPTÔMES			0 = Aucun					1 = légers					2 = modérés					3 = sévères													
Toux																															
Respiration sifflante																															
Essoufflement																															
Sommeil perturbé par différents symptômes																															

<u>POUR PLUS D'INFORMATIONS</u> :
Centre d'enseignement sur l'asthme CEA du CHU Sainte-Justine Tél. : (514) 345-4931, poste 2775

Bibliographie

BELLON, Gabriel. *L'asthme chez l'enfant*. Paris : Larousse, 2006. 144 p.

CURRY, Don L. *Comment fonctionnent tes poumons ?* Markham (Ontario) : Scholastic, 2005. 31 p. (Apprentis lecteurs: Santé) 5 ans +

HORDÉ, Pierrick. *Reconnaître et combattre les allergies chez l'enfant*. Québec : Flammarion Québec, 2002. 172 p.

LOIGEROT, Christelle et Étienne BIDAT. *Les allergies de l'enfant : les prévenir et les combattre*. Toulouse : Milan, 2003. 256 p.

Ressources

Canada

Association d'information sur l'allergie et l'asthme
172, rue Andover
Beaconsfield (Québec) H9W 2Z8
Téléphone: (514) 694-0679
Fax: (514) 694-9814
quebec@aaia.ca

Association des allergologues et immunologues du Québec
2, Complexe Desjardins, porte 3000
CP 216 Succ. Desjardins
Montréal (Québec) H5B 1G8
Téléphone du secrétariat: (514) 350-5101
Télécopieur: (514) 350-5146
sbergeron@fmsq.org
www.allerg.qc.ca/indexf.htm

Association pulmonaire du Canada
3, rue Raymond, bureau 300
Ottawa (Ontario) K1R 1A3
Téléphone: (613) 569-6411
Fax: (613) 569-8860
info@lung.ca
www.poumon.ca

Association pulmonaire du Québec
Bureau de Montréal
855, rue Sainte-Catherine Est, bureau 222
Montréal (Québec) H2L 4N4

Téléphone: (514) 287-7400
Téléphone sans frais: 1-800-295-8111
Ligne Info-Asthme: 1-800-295-8111, poste 232
Fax: (514) 287-1978
info@pq.poumon.ca
www.pq.poumon.ca

Asthmédia:
Association pour l'asthme et l'allergie alimentaire du Québec
1315, ave Maguire
Québec (Québec) G1T 1Z2
Téléphone pour Québec: (418) 627-3141
Ligne d'écoute: 1-877-627-3141
Fax: (418) 627-8716
asthmedia@bellnet.ca
asthmedia.org

Réseau québécois de l'asthme et de la M.P.O.C. (RQAM)
2860, chemin Quatre-Bourgeois, bureau 110
Sainte-Foy (Québec) G1V 1Y3
Téléphone: (418) 650-9500
Téléphone sans frais: 1-877-441-5072
Fax: (418) 650-9391
info@rqam.ca
www.rqam.ca

France

Association Asthme et Allergies
3, rue de l'Amiral Hamelin
75116 Paris
Téléphone: 01 47 55 03 56
Infos Services sans frais: 0 800 19 20 21
Fax: 01 44 05 91 06
Ch.Rolland@asthme-allergies.asso.fr
www.remcomp.fr/asmanet/asthme/index.html

Association française pour la prévention des allergies
Technocentre
Case postale n° 221
26, quai Carnot
92212 Saint-Cloud
Téléphone: 01 48 18 05 84
www.prevention-allergies.asso.fr

Fédération française des Associations et Amicales des malades, insuffisants ou handicapés respiratoires
La Maison du Poumon
66, boul. Saint-Michel
75006 Paris
Téléphone: 01 55 42 50 40
Fax: 01 55 42 50 44
ffaair@ffaair.org
www.ffaair.org

Le *souffle c'est la vie*
Comité national contre les maladies respiratoires (CNMR)
66, boul. Saint-Michel
75006 Paris
Téléphone: 01 46 34 58 80
Fax: 01 43 29 06 58
contact@lesouffle.org
www.lesouffle.org

Belgique

Fonds des affections respiratoires (FARES)
56, rue de la Concorde
1050 Bruxelles
Téléphone: (+32) 2 512 29 36
bibliotheque@fares.be
www.fares.be

Prévention des allergies
56, rue de la Concorde
1050 Bruxelles
Téléphone/Fax: (+32) 2 511 67 61
fpa@oasis-allergies.org
www.oasis-allergies.org

Suisse

aha! - Centre suisse pour l'allergie, la peau et l'asthme
Gryphenhübeliweg, 40
Case postale 378
3000 Berne 6
Téléphone: 031 359 90 00
Fax: 031 359 90 90
Infoline: 031 359 90 50
info@ahaswiss.ch
www.ahaswiss.ch

Ligue pulmonaire suisse
Südbahnhofstr., 14 c
3000 Bern 14
Téléphone: 031 378 20 50
Fax: 031 378 20 51
info@lung.ch
www.lung.ch

Sites Internet

Asthme et les allergies

Association pour l'asthme et l'allergie alimentaire du Québec: Asthmédia Inc.
www.asthmedia.ca

Association pulmonaire du Québec
www.pq.poumon.ca

Asthma Society of Canada
www.asthma.ca

Asthme au quotidien
www.asthme-quebec.ca

Kids – Living well with asthma
www.asthma-kids.ca

Ministère de la santé et des services sociaux
www.msss.gouv.qc.ca

Quatre saisons de l'asthme - Société canadienne de l'asthme
www.4seasonsofasthma.ca/fr

Réseau canadien pour le traitement de l'asthme
www.cnac.net

Réseau québécois de l'asthme et de la maladie pulmonaire obstructive du Québec
www.rqam.ca

Pour la cessation tabagique

Conseil québécois sur le tabac et la santé
www.cqts.qc.ca

Défi - J'arrête - J'y gagne !
www.defitabac.qc.ca

Direction de la santé publique de Montréal
www.santepub-mtl.qc.ca

Fondation des maladies du cœur du Canada
ww2.fmcoeur.ca

Info-tabac
www.info-tabac.ca

J'arrête. Le site pour s'aider à se libérer du tabac
www.jarrete.qc.ca

La gang allumée pour une vie sans fumer
www.cqts.qc.ca/gang_allumee.html

Loi sur le tabac - Ministère de la santé et des services sociaux
www.msss.gouv.qc.ca/loi-tabac/

Santé Canada
www.hc-sc.gc.ca/index_f.html

Société canadienne du cancer
www.cancer.ca

Vie 100 fumer
www.quit4life.com

Vous pouvez également communiquer avec le Réseau québécois de l'asthme et de la MPOC pour connaître l'emplacement du centre d'enseignement de l'asthme le plus près de chez vous: www.rqam.ca ou par téléphone au 1-877-441-5072

La Collection du CHU Sainte-Justine

pour les parents

Ados : mode d'emploi

Michel Delagrave

Devant le désir croissant d'indépendance de l'adolescent et face à ses choix, les parents développent facilement un sentiment d'impuissance. Dans un style simple et direct, l'auteur leur donne diverses pistes de réflexion et d'action.

ISBN 2-89619-016-3 2005/176 p.

Aide-moi à te parler !

La communication parent-enfant

Gilles Julien

L'importance de la communication parent-enfant, ses impacts, sa force, sa nécessité. Des histoires vécues sur la responsabilité fondamentale de l'adulte : l'écoute, le respect et l'amour des enfants.

ISBN 2-922770-96-6 2004/144 p.

Aider à prévenir le suicide chez les jeunes

Un livre pour les parents

Michèle Lambin

Reconnaître les indices symptomatiques, comprendre ce qui se passe et contribuer efficacement à la prévention du suicide chez les jeunes.

ISBN 2-922770-71-0 2004/272 p.

L'allaitement maternel

(2e édition)

Comité pour la promotion de l'allaitement maternel de l'Hôpital Sainte-Justine

Le lait maternel est le meilleur aliment pour le bébé. Tous les conseils pratiques pour faire de l'allaitement une expérience réussie!

ISBN 2-922770-57-5 2002/104 p.

Apprivoiser l'hyperactivité et le déficit de l'attention

Colette Sauvé

Une gamme de moyens d'action dynamiques pour aider l'enfant hyperactif à s'épanouir dans sa famille et à l'école.

ISBN 2-921858-86-X 2000/96 p.

L'asthme chez l'enfant

Pour une prise en charge efficace

Sous la direction de Denis Bérubé, Sylvie Laporte et Robert L. Thivierge

Un guide pour mieux comprendre l'asthme, pour mieux prévenir cette condition et pour bien prendre soin de l'enfant asthmatique.

ISBN 2-89619-057-0 2006/168 p.

Au-delà de la déficience physique ou intellectuelle

Un enfant à découvrir

Francine Ferland

Comment ne pas laisser la déficience prendre toute la place dans la vie familiale ? Comment favoriser le développement de cet enfant et découvrir le plaisir avec lui ?

ISBN 2-922770-09-5 2001/232 p.

Au fil des jours... après l'accouchement

L'équipe de périnatalité de l'Hôpital Sainte-Justine

Un guide précieux pour répondre aux questions pratiques de la nouvelle accouchée et de sa famille durant les premiers mois suivant l'arrivée de bébé.

ISBN 2-922770-18-4 2001/96 p.

Au retour de l'école...

La place des parents dans l'apprentissage scolaire

(2e édition)

Marie-Claude Béliveau

Une panoplie de moyens pour aider l'enfant à développer des stratégies d'apprentissage efficaces et à entretenir sa motivation.

ISBN 2-922770-80-X 2004/280 p.

Comprendre et guider le jeune enfant

À la maison, à la garderie

Sylvie Bourcier

Des chroniques pleines de sensibilité sur les hauts et les bas des premiers pas du petit vers le monde extérieur.

ISBN 2-922770-85-0 2004/168 p.

De la tétée à la cuillère
Bien nourrir mon enfant de 0 à 1 an

Linda Benabdesselam et autres

Tous les grands principes qui doivent guider l'alimentation du bébé, présentés par une équipe de diététistes expérimentées.

ISBN 2-922770-86-9 2004/144 p.

Le développement de l'enfant au quotidien
Du berceau à l'école primaire

Francine Ferland

Un guide précieux cernant toutes les sphères du développement de l'enfant: motricité, langage, perception, cognition, aspects affectifs et sociaux, routines quotidiennes, etc.

ISBN 2-89619-002-3 2004/248 p.

Le diabète chez l'enfant et l'adolescent

Louis Geoffroy, Monique Gonthier et les autres membres de l'équipe de la Clinique du diabète de l'Hôpital Sainte-Justine

Un ouvrage qui fait la somme des connaissances sur le diabète de type 1, autant du point de vue du traitement médical que du point de vue psychosocial.

ISBN 2-922770-47-8 2003/368 p.

Drogues et adolescence
Réponses aux questions des parents

Étienne Gaudet

Sous forme de questions-réponses, connaître les différentes drogues et les indices de consommation, et avoir des pistes pour intervenir.

ISBN 2-922770-45-1 2002/128 p.

En forme après bébé
Exercices et conseils

Chantale Dumoulin

Des exercices et des conseils judicieux pour aider la nouvelle maman à renforcer ses muscles et à retrouver une bonne posture.

ISBN 2-921858-79-7 2000/128 p.

En forme en attendant bébé · Exercices et conseils

Chantale Dumoulin

Des exercices et des conseils pratiques pour garder votre forme pendant la grossesse et pour vous préparer à la période postnatale.

ISBN 2-921858-97-5 2001/112 p.

Enfances blessées, sociétés appauvries
Drames d'enfants aux conséquences sérieuses

Gilles Julien

Un regard sur la société qui permet que l'on néglige les enfants. Un propos illustré par l'histoire du cheminement difficile de plusieurs jeunes.

ISBN 2-89619-036-8 2005/256 p.

L'enfant adopté dans le monde (en quinze chapitres et demi)

Jean-François Chicoine, Patricia Germain et Johanne Lemieux

Un ouvrage complet traitant des multiples aspects de ce vaste sujet: l'abandon, le processus d'adoption, les particularités ethniques, le bilan de santé, les troubles de développement, l'adaptation, l'identité...

ISBN 2-922770-56-7 2003/480 p.

L'enfant malade · Répercussions et espoirs

Johanne Boivin, Sylvain Palardy et Geneviève Tellier

Des témoignages et des pistes de réflexion pour mettre du baume sur cette cicatrice intérieure laissée en nous par la maladie de l'enfant.

ISBN 2-921858-96-7 2000/96 p.

L'estime de soi des adolescents

Germain Duclos, Danielle Laporte et Jacques Ross

Comment faire vivre un sentiment de confiance à son adolescent? Comment l'aider à se connaître? Comment le guider dans la découverte de stratégies menant au succès?

ISBN 2-922770-42-7 2002/96 p.

L'estime de soi des 6-12 ans

Danielle Laporte et Lise Sévigny

Une démarche simple pour apprendre à connaître son enfant et reconnaître ses forces et ses qualités, l'aider à s'intégrer et lui faire vivre des succès.

ISBN 2-922770-44-3 2002/112 p.

L'estime de soi, un passeport pour la vie (2e édition)

Germain Duclos

Pour développer des attitudes éducatives positives qui aideront l'enfant à acquérir une meilleure connaissance de sa valeur personnelle.

ISBN 2-922770-87-7 2004/248 p.

Et si on jouait?
Le jeu durant l'enfance et pour toute la vie
(2e édition)

Francine Ferland

Les différents aspects du jeu présentés aux parents et aux intervenants: information détaillée, nombreuses suggestions de matériel et d'activités.

ISBN 2-89619-035-X 2005/212 p.

Être parent, une affaire de coeur
(2e édition)

Danielle Laporte

Des textes pleins de sensibilité, qui invitent chaque parent à découvrir son enfant et à le soutenir dans son développement. Une série de portraits saisissants: l'enfant timide, agressif, solitaire, fugueur, déprimé, etc.

ISBN 2-89619-021-X 2005/280 p.

Famille, qu'apportes-tu à l'enfant?

Michel Lemay

Une réflexion approfondie sur les fonctions de chaque protagoniste de la famille, père, mère, enfant... et les différentes situations familiales.

ISBN 2-922770-11-7 2001/216 p.

La famille recomposée
Une famille composée sur un air différent

Marie-Christine Saint-Jacques et Claudine Parent

Comment vivre ce grand défi ? Le point de vue des adultes (parents, beaux-parents, conjoints) et des enfants impliqués dans cette nouvelle union.

ISBN 2-922770-33-8 2002/144 p.

Favoriser l'estime de soi des 0-6 ans

Danielle Laporte

Comment amener le tout-petit à se sentir en sécurité ? Comment l'aider à développer son identité ? Comment le guider pour qu'il connaisse des réussites ?

ISBN 2-922770-43-5 2002/112 p.

Grands-parents aujourd'hui · Plaisirs et pièges

Francine Ferland

Les caractéristiques des grands-parents du 21e siècle, leur influence, les pièges qui les guettent, les moyens de les éviter, mais surtout les occasions de plaisirs qu'ils peuvent multiplier avec leurs petits-enfants.

ISBN 2-922770-60-5 2003/152 p.

Guider mon enfant dans sa vie scolaire

Germain Duclos

Des réponses aux questions les plus importantes et les plus fréquentes que les parents posent à propos de la vie scolaire de leur enfant.

ISBN 2-922770-21-4 2001/248 p.

L'hydrocéphalie : grandir et vivre avec une dérivation

Nathalie Boëls

Pour mieux comprendre l'hydrocéphalie et favoriser le développement de l'enfant hydrocéphale vivant avec une dérivation.

ISBN 2-89619-051-1 2006/112 p.

J'ai mal à l'école
Troubles affectifs et difficultés scolaires

Marie-Claude Béliveau

Cet ouvrage illustre des problématiques scolaires liées à l'affectivité de l'enfant. Il propose aux parents des pistes pour aider leur enfant à mieux vivre l'école.

ISBN 2-922770-46-X 2002/168 p.

Jouer à bien manger · Nourrir mon enfant de 1 à 2 ans

Danielle Regimbald, Linda Benabdesselam, Stéphanie Benoît et Micheline Poliquin

Principes généraux et conseils pratiques pour bien nourrir son enfant de 1 à 2 ans.

ISBN 2-89619-054-6 2006/160 p.

Les maladies neuromusculaires chez l'enfant et l'adolescent

Sous la direction de Michel Vanasse, Hélène Paré, Yves Brousseau et Sylvie D'Arcy

Les informations médicales de pointe et les différentes approches de réadaptation propres à chacune des maladies neuromusculaires.

ISBN 2-922770-88-5 2004/376 p.

Musique, musicothérapie et développement de l'enfant

Guylaine Vaillancourt

La musique en tant que formatrice dans le développement global de l'enfant et la musique en tant que thérapie, qui rejoint l'enfant quel que soit son âge, sa condition physique et intellectuelle ou son héritage culturel.

ISBN 2-89619-031-7 2005/184 p.

Le nouveau Guide Info-Parents

Livres, organismes d'aide, sites Internet

Michèle Gagnon, Louise Jolin et Louis-Luc Lecompte

Voici, en un seul volume, une nouvelle édition revue et augmentée des trois Guides Info-Parents : 200 sujets annotés.

ISBN 2-922770-70-2 2003/464 p.

Parents d'ados

De la tolérance nécessaire à la nécessité d'intervenir

Céline Boisvert

Pour aider les parents à départager le comportement normal du pathologique et les orienter vers les meilleures stratégies.

ISBN 2-922770-69-9 2003/216 p.

Les parents se séparent...

Pour mieux vivre la crise et aider son enfant

Richard Cloutier, Lorraine Filion et Harry Timmermans

Pour aider les parents en voie de rupture ou déjà séparés à garder espoir et mettre le cap sur la recherche de solutions.

ISBN 2-922770-12-5 2001/164 p.

Pour parents débordés et en manque d'énergie

Francine Ferland

Les parents sont souvent débordés. Comment concilier le travail, l'éducation des enfants, la vie familiale, sociale et personnelle?

ISBN 2-89619-051-1 2006/136 p.

Responsabiliser son enfant

Germain Duclos et Martin Duclos

Apprendre à l'enfant à devenir responsable, voilà une responsabilité de tout premier plan. De là l'importance pour les parents d'opter pour une discipline incitative.

ISBN 2-89619-00-3 2005/200 p.

Santé mentale et psychiatrie pour enfants
Des professionnels se présentent

Bernadette Côté et autres

Pour mieux comprendre ce que font les différents professionnels qui travaillent dans le domaine de la santé mentale et de la pédopsychiatrie: leurs rôles spécifiques, leurs modes d'évaluation et d'intervention, leurs approches, etc.

ISBN 2-89619-022-8 2005/128 p.

La scoliose
Se préparer à la chirurgie

Julie Joncas et collaborateurs

Dans un style simple et clair, voici réunis tous les renseignements utiles sur la scoliose et les différentes étapes de la chirurgie correctrice.

ISBN 2-921858-85-1 2000/96 p.

Le séjour de mon enfant à l'hôpital

Isabelle Amyot, Anne-Claude Bernard-Bonnin, Isabelle Papineau

Comment faire de l'hospitalisation de l'enfant une expérience positive et familiariser les parents avec les différences facettes que comporte cette expérience.

ISBN 2-922770-84-2 2004/120 p.

Tempête dans la famille
Les enfants et la violence conjugale

Isabelle Côté, Louis-François Dallaire et Jean-François Vézina

Comment reconnaître une situation où un enfant vit dans un contexte de violence conjugale ? De quelle manière l'enfant qui y est exposé réagit-il ? Quelles ressources peuvent venir en aide à cet enfant et à sa famille ?

ISBN 2-89619-008-2 2004/144 p.

Les troubles anxieux expliqués aux parents

Chantal Baron

Quelles sont les causes de ces maladies et que faire pour aider ceux qui en souffrent ? Comment les déceler et réagir le plus tôt possible ?

ISBN 2-922770-25-7 2001/88 p.

Les troubles d'apprentissage : comprendre et intervenir

Denise Destrempes-Marquez et Louise Lafleur

Un guide qui fournira aux parents des moyens concrets et réalistes pour mieux jouer leur rôle auprès de l'enfant ayant des difficultés d'apprentissage.

ISBN 2-921858-66-5 1999/128 p.

Votre enfant et les médicaments : informations et conseils

Catherine Dehaut, Annie Lavoie, Denis Lebel, Hélène Roy et Roxane Therrien

Un guide précieux pour informer et conseiller les parents sur l'utilisation et l'administration des médicaments. En plus, cent fiches d'information sur les médicaments les plus utilisés.

ISBN 2-89619-017-1 2005/336 p.

MEMBRE DU GROUPE SCABRINI

Québec, Canada
2006